O mal radical em Freud

Luiz Alfredo Garcia-Roza

O mal radical em Freud

2ª edição

ZAHAR

Em memória de Alberto Coelho de Souza

Para Lívia... mais, ainda

Jorge Zahar Editor Ltda.
rua Marquês de S. Vicente 99 – 1º | 22451-041 Rio de Janeiro, RJ
tel (21) 2529-4750 | fax (21) 2529-4787
editora@zahar.com.br | www.zahar.com.br

1ª edição: 1990 (4 reimpressões)
2ª edição: 2015 (novo projeto)

Grafia atualizada respeitando o novo
Acordo Ortográfico da Língua Portuguesa

Revisão: Joana Milli
Capa: Estúdio Insólito

CIP-Brasil. Catalogação na fonte
Sindicato Nacional dos Editores de Livros, RJ

Garcia-Roza, Luiz Alfredo, 1936-
G211m 2.ed. O mal radical em Freud / Luiz Alfredo Garcia-Roza. – 2.ed. – Rio de Janeiro: Zahar, 2015.
il.

Inclui bibliografia
ISBN 978-85-378-0786-6

1. Freud, Sigmund, 1856-1939. 2. Psicanálise. 3. Teoria das pulsões. I. Título.

15-6130 CDD: 150.1952
CDU: 159.964.2

Sumário

Prólogo

Freud inventa novos conceitos. Não é pouco o que ele faz. Inventar conceitos é retirar o pensamento do nível da opinião e forçá-lo a ir além dos limites que lhe foram impostos anteriormente. E Freud é indiscutivelmente um inventor. Inventa um novo corpo e uma nova alma.

No entanto, o mundo da cultura teme o novo. Seu primeiro impulso é frequentemente o da recusa; o segundo é o da tentativa de sua reinscrição no saber já constituído. E vários foram os conceitos freudianos que sofreram essa recusa ou que foram reduzidos a outros já existentes em outras ciências. Este foi o caso do conceito de pulsão (*Trieb*). Ou lhe foi negado qualquer valor explicativo, ou teve recusada a sua novidade, sendo identificado à noção de instinto. A redução da pulsão ao biológico foi um dos mais lamentáveis desvios impostos à teoria psicanalítica.

Essa redução, embora grosseira, encontra um frágil apoio na tradução feita por James Strachey do termo alemão *Trieb* para o inglês *Instinct*, o que abre espaço para uma interpretação "instintivista" e portanto biologizante da teoria psicanalítica. Para o leitor brasileiro, esse equívoco é reforçado pela tradução feita de uma importante passagem de *Pulsões e destinos da pulsão*, na qual o sentido do texto original é invertido.[1] O texto na edição brasileira diz: "Se agora nos dedicarmos a *considerar a vida mental de um ponto de vista biológico*, um *instinto* nos aparecerá como sendo um conceito situado na fronteira entre o mental e o somático..."[2] A tradução correta seria: "*Se agora abandonamos o aspecto biológico* e passamos à consideração da vida anímica, a *pulsão* nos aparece como um conceito fronteiriço entre o anímico e o somático..."[3]

Há, na tradução brasileira, uma clara inversão do sentido original, favorecendo a interpretação biológica do texto de Freud.

É evidente, porém, que não podemos responsabilizar a tradução brasileira pela leitura biologizante que se fez da teoria das pulsões. Seria conceder à nossa língua um poder de influência no cenário científico internacional que ela não tem nem nunca teve. O fato é que os textos freudianos foram muito mais difundidos na tradução inglesa de Strachey do que no original alemão, e Strachey exerceu plenamente o direito de ser *traduttore, traditore*. Mas no final das contas, devemos aos tradutores/traidores o acesso à teoria freudiana, quando não somos conhecedores da língua alemã, assim como lhes devemos também, pela multiplicação de sentidos que toda tradução provoca, a matéria-prima desse grande debate que se trava em torno dos conceitos elaborados por Freud.

Num trabalho anterior,[4] abordei o conceito freudiano de pulsão, conceito que a meu ver delineia o horizonte do discurso psicanalítico, marcando ao mesmo tempo o seu limite.

A teoria das pulsões é uma parte da teoria psicanalítica que traz em si uma carga de pré-noções capaz de torná-la ininteligível se não for submetida a um cuidadoso trabalho crítico. Para além das confusões mais banais, tal como a decorrente da tradução do termo *Trieb* por "instinto", há aquelas que decorrem do próprio inacabamento da teoria que nos foi legada por Freud através de seus textos. Uma delas é a afirmação de Freud de que a teoria das pulsões é a sua mitologia. Se por isto devemos entender que a teoria psicanalítica estabelece, desde suas origens, um além inatingível e incognoscível – porém real – em relação ao qual as representações seriam a aparência ilusória, objeto de um conhecimento defeituoso, estaremos incorrendo em erro grosseiro. Pulsão é um conceito psicanalítico, e Freud não está fazendo metafísica. Não se trata de estabelecer uma relação, ainda que negativa, entre um real-em-si inatingível e aquilo que se oferece à nossa consciência.

Não se trata também de estabelecer um limite *a priori* para a teoria, limite este que seria ultrapassado apenas por uma "mitologia". No que se refere à teoria das pulsões, a mitologia de Freud nada tem de mitológica.

O conceito de pulsão, como qualquer outro conceito, implica uma justificação e uma derivação crítica a partir da própria teoria. Não se trata de recusar a afirmação de que o conceito de pulsão estabelece um limite para a teoria psicanalítica, mas sim de recusar que este limite seja estabelecido desde o início e de forma arbitrária. Enquanto conceito-limite, *pulsão* delineia o horizonte do discurso psicanalítico, mas com a condição de este limite ser produzido pela própria teoria.

Seria um erro grosseiro pretender estabelecer um conceito que se subtraísse às exigências lógicas da teoria e se colocasse desde o começo como representando algo de uma profundidade insondável e, por esta razão, incognoscível. Seria fazer metafísica de segunda categoria. E não foi o que Freud e Lacan fizeram (embora eu admita que a psicanálise contenha implícita uma metafísica). A incompletude e o inacabamento da teoria das pulsões, às quais Freud faz referência em 1924, são um índice não da insondável profundidade do conceito de pulsão, mas do paciente e cuidadoso trabalho de produção teórica.

Meu propósito não é o de redizer o que Freud disse, embora em muitos momentos isto seja necessário, mas sim o de pensar o que permaneceu subentendido em sua teoria, particularmente no que se refere ao conceito de pulsão de morte.

L.A.G.-R.

1. Uma ficção

Admitamos, como ponto de partida, que o conceito de pulsão diz respeito às relações entre o corpo e os objetos do mundo. E isto é o próprio Freud que nos indica, quando afirma que a fonte da pulsão é o corpo, ou mais precisamente, o órgão de onde provém a excitação, e que seu objeto "é a coisa em relação à qual ou através da qual a pulsão é capaz de atingir o seu alvo": a satisfação.

Sei que este modo de abordar a questão aproxima perigosamente a pulsão do instinto, pois deste último também poderíamos dizer que se refere às relações entre o corpo e os objetos do mundo e que seu alvo é a satisfação. Foi esta aproximação que permitiu, através de uma leitura apressada dos textos freudianos, que se concebesse a psicanálise como uma forma de naturalismo. A confusão do *Trieb* com o *Instinkt* deu lugar a um "instintivismo" freudiano cujos vestígios permanecem até hoje no texto de vários dos seus comentadores.

O próprio Freud não resistiu à tentação de aproximar os dois conceitos – pulsão e instinto – quando, nos *Três ensaios sobre a sexualidade*, elaborou o conceito de apoio (*Anlehnung*). Segundo ele, as pulsões se "apoiam" inicialmente no instinto, assim como as pulsões sexuais se apoiam nas pulsões de autoconservação. Isto nos conduziria a uma gênese da pulsão a partir do instinto, o que considero difícil de ser sustentado. Não vejo como justificar o conceito de *Anlehnung*, a não ser como fruto de um compromisso empirista de Freud com a ciência da época e como um resquício de naturalismo nos primórdios de sua construção teórica.

A marca provocada pelo empirismo – para o qual existe, de um lado, o real da necessidade e, de outro lado, as ilusões provocadas pela linguagem – foi muito forte e permanece presente até hoje numa grande parcela de psicanalistas, sobretudo naqueles que devem sua formação à escola norte-americana de psicanálise.

A ordem natural

Adotemos no entanto, deliberadamente, a posição empirista e tentemos traçar a gênese da pulsão a partir do instinto. Trata-se evidentemente de uma estratégia, e seu objetivo não é outro senão o de demonstrar a insustentabilidade da tese empirista, pelo menos no que se refere à psicanálise. Essa estratégia será possível apenas se aceitarmos os pressupostos empiristas[1] e naturalistas que estamos querendo criticar.

Admitamos portanto, de forma provisória, a ficção de um mundo natural, isto é, de um mundo composto de corpos materiais e ordenado segundo leis que lhe são imanentes, mundo este totalmente independente da linguagem. Digo "ficção" não no sentido de negar necessariamente existência, mas para manter presente em nossas mentes que um tal mundo jamais é "dado". Outro pressuposto necessário para que possamos adotar a estratégia proposta é de que o discurso possa ser tomado como o lugar neutro a partir do qual a ordem do mundo será enunciada. Depois de Kant e Hegel isto é, no mínimo, ingênuo. Façamo-nos porém, provisoriamente, ingênuos e continuemos com a nossa ficção.

Consideremos esse mundo natural não em todas as suas possíveis interações, mas apenas naquelas em que uma parte dele, a dos seres vivos animais, mantém relação com as demais.

Num mundo assim concebido, o corpo, enquanto corpo animal, é marcado pela *falta*. Não sendo autossuficiente, necessita de algo externo a ele, um outro corpo, para se manter vivo. Esse outro corpo será assimilado ou transformado, mas de qualquer forma negado (no sentido hegeliano do termo) a fim de preencher a falta do primeiro.

Temos então que o corpo, enquanto corpo natural, é marcado pela falta. A essa falta, as chamadas ciências da vida deram o nome de *necessidade* (natural). Uma vez instaurada, a necessidade impõe uma ação cujo objetivo é a supressão da necessidade e, portanto, o preenchimento da falta. Em se tratando do corpo natural, essa falta é efetivamente preenchida pelo objeto (também natural). Isto pressupõe que haja uma adequação entre as necessidades do corpo e determinados objetos do mundo. É o que se chama de *adaptação*, e que poderíamos chamar também de "harmonia preestabelecida", tomando o termo de empréstimo a Leibniz. Essa harmonia preestabelecida impõe que a ação se faça segundo caminhos pré-formados. E a isto chamamos *instinto*.

Quando concebemos o mundo dessa maneira, somos levados a concluir que as faltas naturais são preenchidas com objetos naturais, e que, portanto, o natural não necessita de nada externo a ele para se manter. O mundo natural, tomado em sua totalidade, é sem falta, sem falha, sem fenda.

A perda do objeto absoluto

Nesse mundo natural, a *palavra* fez sua emergência.[2] Como partimos da fantasia de um mundo natural originário, a palavra só poderia ter surgido em seu interior. Admitindo então que tenha surgido no interior do mundo natural, ela é, enquanto signo arbitrário, não natural, sendo sua relação com os objetos do mundo, segundo Saussure, imotivada. A partir de então, temos dois registros inteiramente distintos: o dos *corpos* materiais e o da *linguagem*.

Ocorre, porém, que tendo feito sua emergência, as palavras passaram a significar os corpos naturais. Melhor dizendo: a partir do surgimento da linguagem, todos os objetos do mundo passaram a ser significativos. O ser através do qual a palavra fez sua emergência – e que foi por ela constituído – é chamado *homem*. A palavra não fez sua emergência no homem; o homem é um efeito dessa emergência. Tendo feito sua emergência, a palavra ressignificou ou simplesmente significou o próprio corpo com suas faltas, assim como os objetos do mundo. O efeito imediato foi uma desnaturalização do corpo, das suas necessidades e dos objetos do mundo, assim como o surgimento de uma nova ordem: a *ordem simbólica*.

Como consequência dessa emergência, o objeto absoluto foi perdido, e em seu lugar surgiu a falta (não natural). A suposta ordem natural foi rompida e uma nova ordem foi imposta aos corpos, às necessidades e aos objetos do mundo. A harmonia preestabelecida foi quebrada, os caminhos pré-formados foram perdidos e a adaptação tornou-se inviável.

No entanto, as faltas corporais permaneceram, isto é, o corpo permaneceu como não autossuficiente. Só que agora, a ação desencadeada por essas faltas ficou sem direção predeterminada. O homem foi lançado numa errância, já que não dispunha mais do sinal inequívoco do objeto anteriormente natural e adequado. Com isto, a satisfação tornou-se impossível, pelo menos enquanto satisfação plena. Note-se que a impossibilidade de satisfação plena não é devida apenas a uma sinalização deficiente ou ambígua, ou ainda a uma carência natural do objeto, mas ao fato de que a ordem natural foi perdida e que em decorrência não há mais objeto específico. Daí por diante, apenas uma satisfação parcial passou a ser possível.

Tendo perdido sua suposta organização natural, o corpo, enquanto corpo material, perdeu sua forma. Reduzido a uma matéria sem forma, teve que constituir, na sua articulação com o mundo, uma nova forma, uma nova anatomia e uma nova fisiologia.

Dizer que o corpo foi reduzido a uma matéria sem forma é afirmar que, a partir da linguagem, a suposta ordem natural que ele teria em si mesmo foi perdida e reduzida, daí por diante, a uma ordem mítica. O naturalismo é a versão cientificista do essencialismo. Tomar a linguagem como ponto de partida significa recusar a ordem prévia que o naturalismo impõe ao mundo.

Desvio e diferença

Se a psicanálise tomasse como ponto de partida para sua teoria o corpo biológico, ficaria irremediavelmente remetida à condição de desviante da ordem biológica natural. Sem dúvida alguma, a psicanálise nos fala do corpo. Mas de qual corpo? Do corpo considerado como totalidade organizada, com seus caminhos preestabelecidos na sua articulação com o mundo, ou de um outro corpo, o corpo próprio da psicanálise – o corpo pulsional?

Se a psicanálise recusa a ordem natural como princípio explicativo, se ela afirma que seu ponto de partida não pode ser outro senão a linguagem, então ela terá que conceber o corpo segundo referenciais que serão os dela e não os da biologia. Isto significa que ela não pode considerar como um *dado*, e, mais ainda, não pode considerar o corpo biológico como um dado essencial, sob pena de se constituir como uma biologia de segunda mão.

Isso não quer dizer que ela recuse a um recém-nascido ter cabeça, tronco e membros, ser possuidor de um sistema nervoso ou de ter coração, fígado, rins, intestinos, pulmões etc. Significa que, para ela, estes elementos não formam inicialmente um conjunto organizado da mesma forma que o são para a biologia, e que não mantêm com o mundo uma articulação natural segundo direções prefixadas ou que operem segundo princípios que são inerentes ao ponto de vista biológico. Na verdade, do ponto de vista psicanalítico, aquilo que poderíamos chamar de *corpo* de um recém-nascido só é corpo no sentido de sua materialidade mas não no sentido de uma totalidade orgânica. De fato, o "corpo" não foi ainda constituído. Ele nada mais é do que matéria sem forma, já que a ideia de *corpo orgânico* supõe não apenas a existência de um substrato material mas também de uma totalidade formada de partes, com limites definidos, organização própria e princípio de funcionamento.

Essa matéria sem forma pode ser concebida como pura *potência indeterminada*, pluralidade de intensidades anárquicas. A isto chamamos *pulsões*. "Com efeito"; escreve Lacan "para examinar o que é do *Trieb*, refere-se Freud a algo cuja instância se exerce no nível do organismo em totalidade? Em seu estado de conjunto, faz o real aqui sua irrupção? É o vivo que está interessado aqui? Não, trata-se sempre especificamente do próprio campo freudiano, na forma mais indiferenciada que Freud lhe tenha dado de começo."[3] As pulsões vão constituir portanto uma nova realidade corporal, irredutível ao natural, ao instintivo. Não mais *desvio* do natural, mas *diferença* pura. Isto implica uma crítica ao conceito de *Anlehnung* defendido por Freud em sua primeira tópica.

As pulsões designam um estado de dispersão de intensidades corporais. A esse estado de dispersão, estado disjuntivo por excelência, Freud dá o nome de *pulsão de morte*, "a primeira pulsão".[4] Mas assim como foi por efeito do aparecimento da linguagem que as pulsões se constituíram, será também por efeito da linguagem que elas serão ordenadas. O corpo resultante dessa ordenação será um corpo submetido à ordem simbólica, corpo apossado e informado pela linguagem. Será, portanto, corpo-linguagem. Em decorrência disto, a verdadeira dualidade em psicanálise não seria a dualidade corpo/linguagem, mas sim a dualidade corpo-linguagem/pulsões anárquicas. Essa dualidade poderá ser concebida ainda como uma dualidade ordem/acaso, ficando o corpo-linguagem no lugar da ordem e as pulsões no lugar do acaso. Isto não significa que as pulsões nada tenham a ver com o corpo, quer dizer que elas não se referem ao corpo enquanto organizado. Elas dirão respeito, sempre, ao corpo no que ele mantém de anárquico.

O que se denomina de pulsão sexual é a pulsão referida a esse corpo-linguagem, já que o sexual supõe uma forma, e somente podemos falar em forma e sentido, no lugar da ordem e da linguagem. A questão que surge é se é possível falar numa pulsão que se encontre no lugar da ordem – pulsão sexual, no caso – ou se podemos falar apenas em pulsão de morte, ficando o sexual referido ao registro do desejo e não da pulsão.

Uma outra mitologia

Se admitirmos esta ficção como ponto de partida estratégico, veremos que a ideia de um mundo natural e ordenado, independente da linguagem, é que se apresenta como fictício. A linguagem não surge um dia, ela está lá desde o começo. É apenas do lugar da linguagem que podemos supor um mundo que lhe seja anterior, mundo dos começos, mundo verdadeiramente mítico. Assim, não é a teoria das pulsões que é a nossa mitologia (como diz Freud), mas a teoria da natureza.

2. Sobre a natureza

A ficção anterior não chega a ser original. Na verdade, ela retoma, com algumas modificações, a concepção platônica da gênese da natureza, exposta no *Timeu* há mais de dois milênios.

Em princípio, a ideia de natureza refere-se ao mundo material concebido como lugar da transformação e da degradação. Nesse mundo em constante devir, as coisas surgem, se transformam e desaparecem, para dar lugar a outras que terão o mesmo destino. Um mundo em que tudo muda e nada permanece. Ao mundo assim concebido – impossível de se oferecer como objeto da apreensão intelectual mas apenas como objeto da apreensão sensível –, os filósofos pré-socráticos já contrapunham o domínio do inteligível, daquilo que é e permanece idêntico a si mesmo: o *Ser* de Parmênides, o *Logos* de Heráclito, o *Nous* de Anaxágoras.

Esse modo de pensar, que opõe o sensível e o inteligível, passou à posteridade sob a forma que lhe emprestou Platão com sua teoria das Ideias, na qual o mundo inteligível é o modelo ideal em relação ao qual o mundo sensível seria uma cópia imperfeita porque degradada. Haveria, portanto, de um lado, o mundo das Ideias, mundo de formas perfeitas, imateriais, incorruptíveis e eternas – o *Modelo* – e, de outro lado, a natureza, mundo sensível e sujeito à corrupção, as *Cópias*.

Platão e o *Timeu*

No *Timeu*, um dos últimos e mais bem-acabados dos seus diálogos, Platão nos oferece uma concepção da gênese do cosmo e do homem extremamente interessante, por introduzir a ideia de uma natureza original anterior à natureza atual e anterior à corrupção. O mundo das Ideias, tal como foi concebido no *Menon*, no *Fédon* e na *República*, é mantido. Tomando como modelo o mundo das Ideias, o Demiurgo platônico constrói o mundo sensível procurando manter o máximo de semelhança entre a cópia e o modelo. Mas, além da cópia sensível e do modelo, há ainda um terceiro elemento que é o *lugar* ou a matéria amorfa que vai ser informada pelo Demiurgo ao produzir os objetos sensíveis. O mundo que o Demiurgo constrói à imagem e semelhança das Ideias constitui-se como uma *natureza primeira* em relação à qual a natureza atual é uma degradação. Assim, antes da natureza degradada (que é a atual), haveria uma natureza não degradada que seria a origem da atual, "o primeiro estado do sensível, no exato momento em que o Demiurgo aí introduziu a ordem, a *combinação inicial* entre o sensível e o inteligível, modelo primeiro da natureza, do qual os estados de natureza a ele sucessivos oferecem cópias cada vez mais degradadas".[1] Essa primeira cópia não seria degradada - a não ser em relação ao mundo das Ideias - mas sim o melhor mundo possível, isto é, a melhor combinação possível do sensível e do inteligível. A corrupção ocorreria a partir desse momento inicial e o responsável por ela seria precisamente o elemento supremo produzido pelo Demiurgo: o *homem*. "A degradação começa quando um elemento heterogêneo vem perturbar a finalidade inscrita na combinação inicial."[2] O homem é ao mesmo tempo parte dessa natureza e elemento heterogêneo que vem perturbá-la. Pela sua autonomia, ele é capaz de atentar contra a natureza; ou melhor, essa própria autonomia já é uma quebra da ordem natural. Ela é a responsável pela degradação progressiva da natureza original, degradação esta que encontra sua expressão na corrupção do Estado e da ordem social, o que faz com que a natureza atual seja apenas um *vestígio* ou um *resíduo* perverso da natureza original. Mas a degradação não é *exclusão* da ordem e sim *transgressão* da ordem. Portanto, por mais degradada que seja a natureza atual, permanecem traços sensíveis e inteligíveis da natureza original, o que torna possível sua recuperação. Esta é a tarefa do filósofo-governante.

A ideia do homem constituindo-se como heterogêneo à ordem natural pela sua autonomia é a tese do *Timeu* que nos interessa particularmente. Essa autonomia que Platão atribui ao homem é evidentemente fruto da linguagem. Apesar de ele ainda conceber a palavra como ícone da Ideia, não admitindo portanto sua natureza de símbolo (o que só vai acontecer com Aristóteles), Platão sente necessidade de admitir um elemento heterogêneo à natureza original, resistente à finalidade divina imposta ao mundo. O homem é, assim, simultaneamente parte da natureza e princípio de sua perversão.

O que temos aqui é a ordem e seu desvio. Não há na filosofia platônica lugar para o acaso. A diferença pura é impensável.

Este será ainda o ponto de vista de Freud dois milênios depois, em sua primeira teoria das pulsões, quando nos apresenta a pulsão como um *desvio* do instinto. A pulsão (e portanto o homem) seria aqui o elemento heterogêneo, perversão da ordem natural instintiva. O que não há mais é a ilusão de uma recuperação da ordem primeira através de uma ortopedia empreendida pelo filósofo-psicanalista.

Aristóteles e a recusa do caos original

A ideia de natureza sempre esteve associada à ideia de corpo vivo, sendo que a própria *physis* dos pensadores pré-socráticos foi, para alguns deles, identificada a um imenso organismo vivo. Essa identificação não deve provocar nenhuma estranheza, já que "natureza" designava precisamente a ordem da matéria e não a matéria em si.

Quando os primeiros pensadores pré-socráticos queriam se referir à matéria primordial à parte das coisas que ela constituía, concebiam-na como indeterminada (sendo que alguns a nomeavam assim – *apeiron*). Platão, no *Timeu*, vai falar na matéria amorfa como sendo o receptáculo universal dos *eide*; e no *Filebo* refere-se ao *ilimitado* que se mistura ao *limitado* para formar a mistura inteligível. A matéria amorfa (ou o ilimitado) é, ao mesmo tempo, receptáculo e lugar. O ilimitado seria uma espécie de caos original a partir do qual o Demiurgo divino teria construído o cosmo. No entanto, Platão não chega a admitir um puro acaso original. O caos a partir do qual o Demiurgo constrói o cosmo não é um ininteligível, mas algo da ordem da necessidade, análogo à necessidade mecânica do atomismo de Demócrito.[3] Uma matéria pura, potência pura anterior a qualquer forma, não chega a ser proposta por Platão.

Para Aristóteles é também inconcebível um "momento" anterior ao cosmo, e portanto anterior ao próprio tempo, que seria o caos. Admitir um caos original é admitir que a potência é ontologicamente anterior ao ato e que a matéria é anterior à forma, o que para o filósofo estagirita era absurdo. Não houve caos anterior ao cosmo. A única verdadeira realidade para Aristóteles era a do *synolon*, do composto matéria e forma. Aristóteles não concebia a matéria como uma coisa em si mesma, como uma existência separada da forma e absolutamente indeterminada. O grau de indeterminação que a matéria poderia ter era sempre a de uma indeterminação em relação a algo mais determinado; portanto, uma indeterminação relativa. O que é matéria em relação ao mais complexo é forma em relação ao mais simples.[4]

Sem entrarmos aqui na discussão de a individuação se dar pela forma ou pela matéria, o que permanece indiscutível é que a matéria é essa potência de se determinar em diferentes direções sem jamais chegar à determinação plena, porque neste caso seria pura forma, puro ato. A individuação plena não pode ocorrer no mundo sensível porque ela implicaria ausência de matéria. A nenhum existente corresponde, pois, uma forma pura ou uma pura matéria. Todo existente é um *synolon*, um composto. Mas o que dizer, neste caso, do primeiro motor imóvel, do Deus aristotélico, que é ato puro? Se Deus tivesse matéria, ele seria potência e indeterminação, e não ato puro. A afirmação de que todo existente é composto de matéria e forma encontraria uma exceção na ideia de Deus? Num pequeno mas extraordinariamente rico ensaio sobre Aristóteles, Rodier[5] nos adverte que a afirmação segundo a qual o motor imóvel de Aristóteles é uma forma sem matéria não deve ser tomada ao pé da letra. Dizer que em Deus não há matéria significa, para Aristóteles, que ele não pode ser tomado como matéria para uma forma mais determinada, e não que nele não se encontre presente a união substancial matéria-forma. Assim, não teríamos em Aristóteles nem a pura forma sem matéria, nem a pura matéria sem forma (matéria anárquica, indeterminação plena, dispersão absoluta). Tal como Platão, Aristóteles é o pensador da ordem.

Seria o caso de perguntarmos, ainda, se, em relação ao movimento, estaria ele também inteiramente situado no interior da ordem. Para Aristóteles, o mundo natural está todo ele em movimento. No entanto, nem todo movimento é idêntico. Aristóteles distingue basicamente dois tipos: o movimento *natural* e o movimento *não natural*, este último, incluindo o que ele chama de movimento por *coerção*, movimento pela *inteligência* e movimento *fortuito*. O movimento natural é aquele que tem seu princípio no próprio móvel e não em algo externo a ele. A noção de movimento natural é indissociável da noção de lugar natural, lugar de repouso dentro da ordem natural. Assim, os corpos pesados caem, isto é, tendem para o seu lugar natural que é a terra, enquanto os corpos leves tendem a subir (fumaça, fogo), isto é, tendem para o éter, que é o lugar natural dos leves. O movimento não natural, por sua vez, é aquele que se faz contrariando o movimento natural e o lugar natural. É o caso, por exemplo, da pedra que é atirada para o alto. A causa do movimento, aqui, é externa ao móvel, já que a pedra, não sendo leve, não se eleva naturalmente aos céus; tendo atingido um certo limite, ela cai, retornando ao seu lugar natural.

O interessante a se destacar nessa concepção é que somos levados a concluir que o que funda o movimento natural é o movimento contranatureza, ou, mais radicalmente ainda, que todo movimento é contranatureza. De fato, se os corpos tendem para os seus lugares naturais, se a natureza tende para o repouso, só há movimento quando a natureza é violentada, posto que se as coisas estivessem em seus lugares naturais (e nada implica que não estivessem "naturalmente") não haveria movimento. Para que este exista é necessário, portanto, que elas tenham sido arrancadas dos seus lugares por uma contranatureza. A natureza plenamente realizada é imóvel. Se acrescentarmos a isto o fato de que hoje em dia o que chamamos de força em Aristóteles refere-se como forma e não como matéria, teríamos que o que funda a antinatureza é a forma, o que para o filósofo é precisamente o princípio da ordem. Não devemos contudo nos iludir com este raciocínio que, na verdade, oculta o fundamental: qualquer que seja a espontaneidade ou o acaso desse movimento, ele se faz internamente à natureza.

Os outros tipos de movimento não natural, como é o caso do movimento pela inteligência, estariam, no dizer de Aristóteles, ligados ao acaso. Trata-se do movimento resultante da criação humana (Aristóteles distingue a ação da criação) que dá lugar a coisas que passam a existir não naturalmente. Na *Ética a Nicomaco*, Aristóteles cita a frase de Agaton: "A arte ama o acaso, e o acaso ama a arte."[6] Mas também aqui devemos nos precaver contra a ideia de um acaso que não esteja necessariamente referido à ordem.

Em *Acaso e repetição em psicanálise*,[7] falei das dificuldades inerentes à concepção de puras intensidades, pura potência anárquica, independentes e exteriores a qualquer ordem, e fiz referência a Leucipo, Demócrito e Lucrécio, para ficarmos apenas com os antigos. No entanto, para que possamos estabelecer a dualidade acima referida – Acaso/Ordem – não podemos evitar a ideia de um estado de pura dispersão de energia.

Embora permanecendo no campo especulativo, volto a recorrer a um autor não recente, e ainda por cima comprometido com o pensamento teológico: John Duns Scot, um franciscano do século XIII.

Preocupado com o problema da individuação, Duns Scot é levado a colocar a questão da distinção individual nas substâncias materiais e a repensar, como fundamento ao seu problema, o conceito de matéria.

A questão de Duns Scot inscreve-se no interior do grande debate que se travou na Idade Média sobre a individuação pela *matéria* e a individuação pela *forma*.

Pergunta Duns Scot: "A matéria existe?" – isto é, existe algo independente da forma e que possua uma realidade positiva? Ou ainda: existe algo dotado de um ser próprio e distinto da forma?

Creio que é indiscutível o quanto a noção de matéria apresenta dificuldades para a filosofia. Se para o senso comum é uma noção extremamente simples, pois designa aquilo de que são feitas as coisas – a mesa é feita de madeira, a roupa é feita de pano –, para o trabalho de conceituação filosófica ela é, acima de tudo, um grande problema.

Voltemos pois à pergunta de Duns Scot: "A matéria existe?" Pelo que já foi exposto, creio estar claro que o que estamos procurando com o nome de "matéria" é algo cuja existência independe da forma. Procuramos por uma matéria pura, algo absolutamente indeterminado e existente em si mesmo. Não encontramos essa matéria nem em Platão nem em Aristóteles. Parece-me ser mais indicado procurar tal conceito naqueles pensadores para os quais Robert Boyle, no século XVII, cunhou o termo "materialistas". Façamos portanto mais um parênteses. Voltarei, mais à frente, a Duns Scot.

Os materialistas gregos

Os mais antigos materialistas do mundo ocidental foram os atomistas gregos do século V a.C. Os nomes mais importantes aqui são os de Leucipo e Demócrito, cujas concepções tiveram continuidade e sofreram transformações com Epicuro, com os Estoicos e, no século I a.C., com Lucrécio. Embora todos possam ser chamados de materialistas, suas concepções de mundo apresentam diferenças consideráveis.

Creio que, de todos os pensadores do mundo antigo, Lucrécio foi aquele que melhor expressou a ideia de que toda e qualquer ordem constitui-se sobre um fundo de acaso original.

Sua filosofia teve como fonte principal o atomismo de Leucipo e Demócrito, os primeiros pensadores pré-socráticos a afirmarem a existência do vazio. Além do vazio, diziam eles, há apenas átomos, partículas de matéria fisicamente indivisíveis e não acessíveis ao conhecimento empírico. Apesar da infinita variedade de tamanho, permanecem todos aquém do limite do *minimum visibile*. Entre eles há apenas diferenças quantitativas, mas não diferenças qualitativas. Segundo Diogenes Laercio, Leucipo teria sustentado que "em um vazio infinito, no qual um número infinito de átomos de incontáveis formas e tamanhos estão constantemente se chocando um contra o outro em todas as direções, há um número infinito de lugares onde se estabelece, pelo impacto, um movimento em turbilhão. Quando isto ocorre, temos o começo de um universo".[8]

Não há consenso entre os comentadores do atomismo quanto à natureza do movimento original. John Burnet[9] admite que o movimento dos átomos ocorre em todas as direções produzindo choques a partir dos quais se formarão os conjuntos de átomos. Outros comentadores admitem que para Demócrito os átomos tinham peso (*baros*), entendendo-se por "peso" a tendência a se moverem uniformemente numa direção. Deve decorrer daí a imagem que foi transmitida à posteridade de uma "chuva de átomos". Assim, o movimento original seria retilíneo uniforme, resultando o movimento lateral e a formação de turbilhões da velocidade desigual dos átomos. Como o número desses turbilhões é infinito, há um número infinito de mundos em perpétua criação e destruição.

Não me parece, contudo, que se possa afirmar um acaso original na formação desses mundos. O atomismo inicial não afirma o acaso mas a necessidade. O que há, como diz Nietzsche, é uma causalidade sem finalidade, mas não acaso.

A doutrina atomista é retomada por Epicuro (341-270). O ponto de partida de Epicuro é a afirmação de que nada surge do nada e que nada pode retornar ao nada. O universo sempre existiu e não terminará nunca, é eterno, compondo-se exclusivamente de corpos e de espaço, isto é, de átomos e de vazio. Esses átomos (eternos) movem-se num vazio (eterno), sendo que este movimento, também eterno, nunca teve começo e nunca terá fim. O movimento dos átomos, no entanto, é também entendido por Epicuro como sendo originalmente um movimento retilíneo uniforme, movimento descendente decorrente do peso de cada átomo. Há portanto em Epicuro uma ordem inerente à *physis* que impõe essa queda paralela dos átomos. A novidade da concepção epicureia reside na afirmação de um desvio – *parénklisis* – nessa queda dos átomos, responsável pelas colisões e agregação em corpos.

Necessidade e acaso existiriam lado a lado em Epicuro, mas o segundo seria sempre um desvio do primeiro. Epicuro estaria ainda pensando uma *physis*, uma natureza, na qual introduziu um princípio de indeterminação.

Lucrécio e o acaso original

É apenas em Lucrécio, romano do último século antes de Cristo, que vamos encontrar pela primeira vez, de modo claro e explícito, a afirmação de um acaso original e a dissolução do próprio conceito de natureza.

O que torna Lucrécio um pensador surpreendente é o fato de ele ter escrito um tratado intitulado *Sobre a natureza das coisas*, para mostrar enfaticamente que não há natureza das coisas.[10] Antes de Lucrécio, os gregos empregaram a palavra *physis* (que corresponde à *natura* latina) no sentido de uma ordem original, princípio de ordenação e explicação causal. A surpresa provocada pelo *De rerum natura* de Lucrécio decorre do fato de ele empregar o termo *natura* não para designar uma ordem imanente ao cosmo mas para designar as próprias coisas. O termo *natureza*, para ele, nada mais designa do que o conjunto das coisas singulares existentes. Se alguma ordem é revelada nas coisas pela experiência, será forçosamente uma ordem-efeito, ordem contingente, constituída pelas próprias coisas, e não ordem original constituinte do real. Para Lucrécio, não há razão nas coisas; para que algo seja, não há necessidade de razão alguma.

Se a natureza prescinde de qualquer referência a uma ordem *a priori*, podemos identificá-la com o acaso. Afirmar que o mundo é obra da natureza é afirmar que "por si mesmos, espontaneamente, pelo acaso dos encontros, os elementos das coisas, depois de terem se unido de mil maneiras, confusamente, de modo inútil e vão, produziram por fim estas combinações" que são o mar, a terra, o céu, os animais etc. A natureza não é necessidade, mas puro acaso.

O *clinamen*

É neste ponto que a concepção da natureza em Lucrécio se diferencia mais profundamente das concepções precedentes. Apesar das semelhanças entre Lucrécio e Epicuro, o acaso para este último não era considerado como uma não natureza, mas como um desvio da natureza original. É com sua teoria do *clinamen* que Lucrécio vai afirmar a negação de todo princípio.

O *clinamen* é definido como sendo uma declinação original dos átomos. Sem ser em tempo fixo nem em lugar fixo, afirma Lucrécio, ocorre uma declinação dos elementos, responsável pelas combinações atômicas. O que preside o nascimento das coisas não é uma lei, uma ordem *a priori*, mas o puro acaso do *clinamen*. A natureza em Lucrécio é, pois, princípio do diverso, o que significa dizer ausência de princípios.

Mas em que o *clinamen* de Lucrécio difere do *parénklisis* de Epicuro? Enquanto este último é postulado com a finalidade de assegurar a possibilidade da liberdade no interior da ordem, o *clinamen* não é uma alteração da ordem, é a ausência de qualquer ordem. O mundo é fruto exclusivo do acaso. O *clinamen* não é algo que acontece por acidente a uma ordem constituída, ele está presente nos elementos que vão constituir as coisas. O fundamental em Lucrécio, como assinala Deleuze,[11] é a afirmação da natureza como princípio do diverso e de sua produção. A natureza é uma soma infinita que não totaliza seus elementos.

É indiscutível que a concepção que melhor se presta aos nossos propósitos é a de Lucrécio. No entanto, ela não recebeu por parte da filosofia uma acolhida irrestrita. Um rápido olhar pela história da filosofia será suficiente para nos assegurar que os seguidores de Lucrécio foram poucos. A filosofia oficial vê Lucrécio como um pensador incômodo, uma espécie de antifilósofo.

Duns Scot e a matéria sem forma

E aqui retornamos a Duns Scot. É surpreendente nos depararmos, no século XIII, com esse franciscano escocês cujas preocupações maiores não eram propriamente filosóficas e muito menos materialistas, mas sim religiosas, e que em sua curta vida nos legou uma concepção extremamente audaciosa da matéria: John Duns Scot, nascido em 1270 e falecido em 1308.[12]

Em 1300, Duns Scot inicia seus ensinamentos na Universidade de Oxford, dos quais faziam parte os comentários às *Sentenças* de Pedro Lombardo em torno da questão da individuação pela forma ou pela matéria. É por referência a este tema que Duns Scot vai situar o problema do ser da matéria enquanto tal. Daí a pergunta: A matéria existe?

A pergunta, obviamente, nada tem de ingênua. Perguntar pelo ser da matéria significa perguntar não apenas se nos seres corpóreos podemos distinguir uma matéria que, unida à forma, comporia a união substancial dos seres individuais, mas significa, além disto, perguntar se nos seres corpóreos há algo que possua uma realidade positiva independentemente da forma (e não apenas em união substancial com ela). Em suma, a matéria, considerada em si mesma, é uma abstração ou possui ser próprio?

Vimos que para os materialistas essa pergunta não procede, posto que para eles a matéria é tudo, somente ela existe, a forma sendo apenas uma determinação intrínseca à matéria, não possuindo existência independente. Não é este, porém, o caso de

Duns Scot. Ele não quer afirmar a existência exclusiva da matéria, mas sim responder à questão de se ela possui existência própria e independente da forma.

Sua resposta é decididamente afirmativa: "A matéria possui uma certa realidade (*entitatem*) positiva fora do intelecto e de sua causa, e é em virtude desta realidade que ela pode receber as formas substanciais, que são atos pura e simplesmente."[13] Se todo existente, como dizia Aristóteles, é um *synolon*, um composto, ele não faria jus a este nome se não contivesse pelo menos dois elementos.

Existe, pois, a matéria como realidade distinta da forma e com uma positividade própria. Mas que tipo de realidade é essa que podemos atribuir à matéria considerada em si mesma? Certamente, responde Duns Scot, a de ser uma *potência*. E Duns Scot vai distinguir uma *potência objetiva* de uma *potência subjetiva*. Enquanto a potência objetiva designa aquilo em que a matéria pode se transformar (mármore em estátua), a potência subjetiva designa o sujeito dessa transformação (o mármore em si). A potência subjetiva é, portanto, aquilo que poderíamos chamar de realidade própria da matéria, aquilo sem o qual a matéria não seria nada, o sujeito da transformação.

Duns Scot nada mais está fazendo do que seguir Aristóteles ao afirmar que a matéria é o sujeito da transmutação substancial; ele difere do filósofo grego quando afirma que ela pode ser concebida em si mesma, independentemente da forma.[14] Enquanto tal, ela é matéria informe, indeterminação pura, aquilo que está mais próximo do nada. No entanto, não é em Aristóteles que ele vai buscar inspiração para este conceito de matéria pura, e sim nas *Confissões* de santo Agostinho: "Não me ensinastes, Senhor, que antes de formardes e diferenciardes esta matéria informe, nada existia, nem cor, nem figura, nem corpo, nem espírito? Não era, porém, o nada absoluto. Era antes a massa informe sem figura."[15]

Na matéria assim concebida, temos o menor grau de atualidade e o maior grau de potência. Sua potência consiste em não possuir nenhuma determinação específica, "massa informe sem figura", como disse Agostinho.

Mas dizer, como Duns Scot, que a matéria é potência subjetiva, significa dizer que ela é força? Intensidade pura? Em Aristóteles, assim como em Platão, a matéria era entendida como receptáculo passivo. Aquilo que hoje em dia chamamos "força" dizia respeito não à matéria, mas à forma, e até o início da Idade Moderna, com Descartes, a matéria é ainda concebida em termos de extensão. É apenas a partir de Spinoza e de Leibniz que vamos ter a matéria pensada em termos de força.

3. Ordem e acaso

Vimos no capítulo anterior que a noção de *ordem* esteve, desde os primórdios do pensamento ocidental, ligada à noção de natureza (*physis*). Ordem dizia respeito não à *matéria* enquanto tal, mas à *forma* segundo a qual essa matéria estava articulada. A questão de se a forma estava separada da matéria ou sempre em conjunção com ela foi dos pontos de divergência entre as filosofias de Platão e de Aristóteles. O que é comum a ambos é a afirmação de uma ordem inerente ao real. Mesmo antes do aparecimento da filosofia, essa ideia de ordem já estava presente no mito e na religião, e a própria noção de *cosmos* já trazia com ela a ideia de uma ordem, à diferença do caos anárquico.

Caos e cosmo

Desde que o homem ocidental transformou sua perplexidade frente ao mundo em reflexão sobre o mundo, uma questão se impôs: "É a realidade um efeito do puro acaso ou é ela a manifestação de uma ordem?"

Os antigos cosmólogos babilônios tentaram responder a esta questão impondo-se à inesgotável tarefa de fazer um recenseamento dos fenômenos celestes a fim de estabelecerem sua periodicidade – este seria o indício seguro de uma ordem cósmica. No entanto, por mais louvável que possa ter sido essa prática, não forneceu as respostas para questões que são o desdobramento necessário da pergunta acima. Assim: a ordem encontrada por eles seria extensiva à totalidade do real, ou parte dele permaneceria imersa no acaso? Aquilo que chamamos de acaso não seria um puro desconhecimento da ordem? Ou, ao contrário, não seria a ordem um efeito do acaso? O leitor familiarizado com a história da filosofia sabe que estas questões desdobram-se em muitas outras, e que as respostas oferecidas ao longo do tempo não foram suficientes para esgotar o problema.

Uma característica comum à filosofia e à ciência é o repúdio ao caos. Na verdade, a própria história da filosofia já implica um compromisso com a ordem. Ambas, a filosofia e a ciência, são amantes da ordem, e frente à desordem aparente do mundo produziram a inteligibilidade necessária ao bem-estar comum. À literatura coube produzir o discurso do trágico, lugar do acaso e do mistério.

Quando os pensadores pré-socráticos opuseram às entidades sobrenaturais do mito uma ordem natural, quando pensaram a *physis* com total independência dos feitos dos deuses e dos heróis, quando opuseram à observação pura e simples dos fenômenos uma prática teórica, o homem ocidental julgou ter conjurado o acaso. No entanto, a ideia de natureza não exclui necessariamente a de acaso. Que haja uma natureza, isto não quer dizer que não haja também o acaso. Acaso e natureza não são noções que se ofereçam ao espírito num mesmo registro. Enquanto a natureza pode ser demonstrada, o acaso escapa a toda e qualquer demonstração, está muito mais próximo do silêncio do que dos enunciados claros e distintos. Por outro lado, opor simplesmente acaso e natureza é reduzir o primeiro a um *não*: *não* natureza, *não* ordem, *não* lei. Infelizmente, sempre que a filosofia pensou o acaso, tomou como referência a ordem, o que a conduziu a identificá-lo à desordem, ao acidental e ao contingente.

Mas se a ideia de *ordem* possui a onipresença que assinalei acima, ela está longe de apresentar a univocidade que a filosofia e a ciência exigem de seus conceitos. Não há propriamente um *conceito* de ordem, mas diferentes empregos do termo em diferentes campos do saber. Provavelmente, a característica comum a todos esses empregos é o fato de a *ordem* estar sempre associada à *inteligibilidade* de um determinado domínio. Tanto no mito como na filosofia ou na ciência, a ideia de ordem vem associada à ideia de *redução do arbitrário*.[1]

A grande ameaça à inteligibilidade plena da realidade foi sempre o *acaso puro*, isto é, o acaso que não é considerado *desvio* de ordem mas pura fortuidade. Em se tratando do mundo natural, a ciência tinha a pretensão de tê-lo banido inteiramente ou pelo menos de tê-lo reduzido a uma dimensão puramente epistemológica – falha no conhecimento ou falha metodológica. O mundo humano, ou o mundo natural submetido à ação humana, permanecia porém imune ao *demônio de Laplace*. O homem seria o seu próprio *daimon*, ele mesmo capaz de perverter a ordem natural.

Esta é a ideia presente na alegoria platônica do Demiurgo, exposta no *Timeu*. Mas embora o homem seja considerado um elemento heterogêneo em relação à natureza primeira, pelo fato de ele mesmo possuir o poder de nela intervir alterando sua ordem original e produzindo artefatos, ele, ainda assim, é considerado por Platão uma parte dessa natureza. Se o homem é o principal responsável pela degradação da natureza, ele o é precisamente porque é a mais excelente produção do Demiurgo, uma espécie de replicante degradado do próprio Demiurgo. Não há, em Platão, exclusão do humano em relação à ordem natural. Ao contrário, o que ele nos propõe é uma homologia entre a ordem do cosmo, a ordem da cidade e a ordem da alma, o que corresponde à afirmação de uma ordem universal. O acaso é um mero *desvio*, degradação da ordem original.

Esta é também a concepção dominante na ciência moderna que, a partir de Galileu, se constituiu como a "prova experimental do platonismo".[2] Não é com Descartes e Newton que ocorre a queda da concepção platônica do mundo, mas ao contrário, com eles o que se dá é o triunfo do platonismo. No mundo cartesiano/newtoniano nada há de arbitrário. E quando o homem, enquanto ser pensante e ameaçado pelo *Malin Génie*, parece escapar a essa ordem, Descartes recorre à garantia divina de um Absoluto. De forma análoga, a harmonia preestabelecida de Leibniz é a réplica moderna do melhor dos mundos possíveis, da *natureza primeira* do Demiurgo platônico.

A ciência newtoniana e o demônio de Laplace

A ciência moderna (ciência newtoniana), segundo Prigogine,[3] começa por uma negação de certas concepções de mundo que foram dominantes na cultura ocidental, concepções estas que incluem tanto o aristotelismo como a magia e a alquimia. Ela na verdade se constitui contra as concepções antigas, e, à diferença destas, que supunham uma natureza que deveria ser revelada e domada, a ciência newtoniana constitui uma ordem eterna regida por um pequeno número de leis imutáveis. Portanto, contra o devir natural dos antigos, a ciência clássica nos oferece uma outra natureza pensada como um autômato e submetida a leis matemáticas, de tal forma que dadas as condições atuais de um determinado sistema do mundo, ela é capaz de fornecer com rigor e precisão seus estados passados e futuros. Nessa nova ciência não há lugar para o homem ou para os fatos históricos. E se o homem é incluído, é para ser explicado como um objeto dentre outros, submetido a esse determinismo universal. Na ciência clássica não há lugar para o acaso, o *demônio de Laplace* domina de forma absoluta.

É com o aparecimento da *termodinâmica*, na primeira metade do século XIX, que a noção de *acaso* adquire *status* de cientificidade. Não se trata ainda de um *acaso original*, tal como aquele concebido por Lucrécio, nem se trata também de uma reversão do platonismo, tal como a que nos aponta Deleuze, mas trata-se já de reconhecer uma brecha na ordem absoluta afirmada pela ciência clássica. A termodinâmica, primeira ciência não clássica no entender de Prigogine, é o ponto de partida de uma verdadeira metamorfose da ciência, metamorfose esta que ultrapassa os limites da física e que produz modificações profundas nas demais ciências naturais, com repercussões nada desprezíveis nas ciências humanas.

Se o reconhecimento do papel do acaso foi uma conquista da nova ciência dos processos irreversíveis, nem por isso ela passa a admitir o arbitrário. "Se os modelos da ordem por flutuação nos podem ensinar alguma coisa, é realmente que toda a norma resulta de uma escolha, contém um elemento de acaso, mas não de arbitrário."[4]

Monod: acaso e necessidade

Esse elemento de acaso vai se constituir como um dos pontos centrais da nova biologia molecular, particularmente do trabalho de Jacques Monod sobre o código genético. Para Monod, a evolução biológica é explicada não em termos de uma cega necessidade, mas como produto do *acaso* e da *necessidade*.[5] A estrutura dos seres vivos, sejam eles quais forem, bactéria ou homem, é essencialmente a mesma: todos são constituídos pelas mesmas duas classes de macromoléculas, proteínas e ácidos nucleicos. Estes constituintes universais do ser vivo são concebidos ainda como o equivalente lógico de um alfabeto em que poderia ser escrita toda a diversidade contida na biosfera.[6]

Mas se assim é, como explicar a extrema diversidade tanto morfológica quanto fisiológica, assim como a manutenção da mesma forma invariante de cada espécie? A resposta a estas perguntas vai ser dada através do *código genético.* Nesse código, o invariante fundamental é o ADN (ácido desoxirribonucleico), no qual é inscrito "o acidente singular e, como tal, essencialmente imprevisível, que vai ser mecânica e fielmente replicado e traduzido, isto é, ao mesmo tempo multiplicado e transposto para milhões ou bilhões de exemplares. Tirado do reino do puro acaso, ele entra no da necessidade".[7]

Essas alterações acidentais que modificam o texto genético são consideradas por Monod como expressões de um acaso puro, "o só acaso, liberdade absoluta".[8] A este tipo de acaso, que ele chama de acaso *essencial,* Monod contrapõe o acaso que ocorre nos jogos de azar (*hasard*), considerado como puramente *operacional.* Segundo ele, o acaso no jogo de dados ou na roleta é decorrente da nossa incapacidade prática de dirigir o lançamento com precisão. Se dispuséssemos de um mecanismo de alta precisão para o lançamento dos dados ou da bola, poderíamos eliminar a incerteza do resultado. Trata-se, portanto, de um acaso meramente operacional e não essencial. Este último, ele exemplifica com o encontro de duas séries independentes – a pessoa passando na rua em direção ao trabalho e o operário que deixa cair um tijolo do alto de uma construção, atingindo o transeunte.

Creio que Monod faz aqui uma inversão não muito justificável. O que ele está chamando de "acaso puro", "liberdade absoluta", é de fato o que já apontei como sendo a *tyche* grega ou, ainda, a *causa acidental* de Aristóteles,[9] noções que estão na base da argumentação de santo Tomás de Aquino para o fato de que a divina providência não exclui a casualidade.[10] Não vejo como essa concepção do acaso poderia ser utilizada para designar um acaso absoluto, isto é, um acaso não referido à ordem ou aos seus desvios.

Não creio que Monod concordaria com a aproximação de seu "acaso absoluto" com a *tyche* grega, já que esta última designa muito mais um destino divino a que o homem está sujeito, do que um acaso puro. Mais ainda, mesmo que essa aproximação fosse feita, creio que ele responderia que "o destino se inscreve na medida em que se cumpre, não antes".[11] Certo, mas isto não elimina o fato de que permanecemos ainda no registro da causa acidental e não do acaso puro.

É contudo indiscutível que a nova biologia molecular encontra-se já bastante afastada da ciência clássica, e em que pesem as observações que possamos fazer à sua concepção do acaso, a verdade é que poucos tiveram, antes de Monod, a ousadia de colocar em causa a soberania da necessidade.

No quadro geral de sua concepção da biosfera, o homem é um acidente como tantos outros. O universo não estava grávido do homem, diz Monod, o homem é um produto do acaso e não da necessidade divina. E dentre os incontáveis acontecimentos únicos ocorridos na biosfera, um foi o aparecimento da linguagem simbólica. Daí em diante, a antiga aliança entre o homem e a natureza foi rompida, condenando-o a uma solidão irremediável: "É preciso que o Homem enfim desperte de seu sonho milenar para descobrir sua solidão total, sua estranheza radical. Agora, sabe que, como um cigano, está à margem do universo onde deve viver. Universo surdo à sua música, indiferente às suas esperanças, como a seus sofrimentos ou a seus crimes."[12]

Prigogine e a nova aliança

Rompida a antiga aliança, uma nova aliança se anuncia. Em 1977, o mundo científico teve sua atenção voltada para Ilya Prigogine, laureado com o prêmio Nobel de química pelos seus trabalhos sobre *estruturas dissipativas*, criação da ordem a partir do caos. Prigogine sustenta que o caos entrópico pode dar lugar a novas ordens através de ínfimas flutuações-bifurcações. Essa teoria provocou uma redescoberta do tempo análoga a que foi empreendida por Henri Bergson em filosofia – *tempo irreversível*, fluxo do devir, e não tempo cronológico newtoniano. O emprego em física de uma concepção do tempo considerado como irreversível aproxima as ciências naturais das ciências humanas, reconciliando-as. Daí o título do seu livro mais importante: *La nouvelle alliance*.

A nova aliança rompe com a visão determinista da ciência clássica substituindo-a por uma visão probabilista. O determinismo clássico é representado de maneira exemplar pelo *demônio de Laplace*: dado um certo número de informações sobre um sistema dinâmico, esse *demônio* é capaz de calcular os estados futuros e passados do sistema. Não há lugar aqui para o aleatório. O acaso é considerado, quando muito, como expressão de falta de informação.

Mesmo antes da teoria de Prigogine, considerava-se que, em se tratando de agregados macroscópicos, a lei dos grandes números permitiria manter um esquema determinista, mas que em agregados microscópicos o aleatório desempenha um papel decisivo, tornando impossível a manutenção de um esquema determinista rigoroso. A novidade maior da teoria de Prigogine reside contudo em aplicar o probabilismo mesmo em se tratando de conjuntos macroscópicos. Este seria um dos aspectos da descoberta da autoestruturação de sistemas macroscópicos longe do equilíbrio. Esses conjuntos, mesmo quando submetidos a rigoroso controle experimental, apresentam, através de seus mecanismos de estruturação, uma variedade de formas que só pode ser compreendida se aceitarmos o papel desempenhado pelo acaso. Aqui não há previsibilidade calculada a partir de leis gerais. Perto do equilíbrio, as leis da natureza são universais; longe do equilíbrio, elas são específicas. Essas instabilidades dissipam a energia, daí o nome de *estruturas dissipativas*.

Cada vez mais a física incorpora a suas teorias elementos aleatórios, tornando inviáveis os esquemas deterministas clássicos. O que é sobretudo posto em questão por Prigogine é a aplicação irrestrita da *reversibilidade* de que fala a dinâmica clássica. Para ele, cada vez mais os fenômenos *irreversíveis* tornam-se o centro de interesse das pesquisas físicas, o que impõe a retomada da distinção já feita por Bergson entre os dois tempos: o *tempo cronológico* – tempo absoluto e uniforme segundo Newton – e a *duração* (*durée*) ou *tempo vivido*, segundo Bergson.

Prigogine se propõe a proceder uma metamorfose na ciência. Por esta metamorfose, o homem é incluído no mundo que ele descreve, ao invés de ser neutralizado pelo discurso científico: "A ciência, nos seus primeiros passos, pôs com sucesso questões que implicam uma natureza morta e passiva; o homem do século XVII não conseguiu comunicar com a natureza senão para descobrir a terrificante estupidez de seu interlocutor."[13] A nova ciência rompe com a concepção clássica do mundo e nos apresenta um universo fragmentado mas extremamente rico em diversidades qualitativas e pleno de surpresas; ela não lida mais com situações estáveis e com permanências mas com evoluções, crises e instabilidades.

O pressuposto fundamental do qual se afasta a nova ciência é o de que o mundo microscópico é simples e regido por leis matemáticas simples, a diversidade e complexidade da realidade podendo ser reduzidas a essas leis. Esta concepção do mundo começou a ser colocada em questão a partir da termodinâmica, primeira ciência não clássica.

Nos seus primórdios, antes de ser reconhecida como ciência experimental no século XVIII, a química era chamada de "ciência do fogo"; e o *fogo transforma as coisas*, isto é, produz uma modificação na realidade que é irreversível. Essa característica é fundamental para a jovem ciência e será responsável pelas suas vicissitudes futuras.

A ciência até então dominante, como já vimos, era a física newtoniana, ciência matemática e rigorosa das leis mecânicas do movimento. O pressuposto fundamental das leis newtonianas é o que diz respeito ao fenômeno universal da gravitação: todo corpo possui uma massa e se encontra em interação gravitacional com todos os outros corpos do universo. Eis porém que surge uma nova ciência, cujos fundamentos foram estabelecidos por Fourier, ciência igualmente matemática e rigorosa, e que enuncia uma outra lei também universal: todo corpo é capaz de receber, de acumular e de transmitir o calor, e enquanto tal, é a sede do conjunto dos processos ligados à acumulação e à propagação do calor. Essa ciência nascente é a termodinâmica.

Calor e gravitação passam a constituir, daí por diante, dois universos distintos e antagônicos. Esse antagonismo expressa-se por uma diferença essencial: enquanto a *gravitação* age sobre uma massa inerte que a ela se submete sem ser afetada a não ser pelo movimento que ela adquire ou transmite, o *calor* transforma a matéria, determina mudanças de estado e modificações de suas propriedades intrínsecas.

Uma das noções fundamentais introduzida pela termodinâmica foi a de *flexa do tempo*, isto é, a irreversibilidade do tempo. A ciência clássica explicava o mundo em termos de trajetórias deterministas e reversíveis; o *tempo* era o tempo cronológico. O que a termodinâmica traz para o primeiro plano da explicação científica são fenômenos marcados pela irreversibilidade, sendo esta entendida como algo intrínseco ao fenômeno e não como decorrente de um controle experimental deficiente. A irreversibilidade não é mais a marca do negativo, mas característica fundamental de um mundo no qual o acaso desempenha um papel tão ou mais importante quanto a necessidade. *Acaso* e *necessidade* são ambos constituintes de processos de organização e de estruturas dissipativas, de tal forma que a irreversibilidade perde o caráter negativo que tinha para a ciência clássica e passa a ser vista como fonte de novas ordens que não podem ser determinadas *a priori*.

O que Prigogine nos mostra é que, para além do seu conteúdo conceitual, sua teoria implica uma nova concepção da prática científica como prática cultural ao renovar o ponto de vista sobre as relações do homem com a natureza.

Quando a ciência clássica foi pensada pelos epistemólogos em termos de rupturas e cortes epistemológicos, aquilo que se visava era uma depuração do discurso científico, que nos conduzia a uma abstração cada vez mais afastada da realidade, mas que acima de tudo era incapaz de conferir inteligibilidade a questões concretas que diziam respeito às relações do homem com o mundo. Foram essas questões negadas pela ciência clássica, questões que diziam respeito sobretudo ao mundo marcado pela irreversibilidade e pela indeterminação, que deram lugar à metamorfose assinalada por Prigogine. O homem é por ele pensado em aliança com a natureza e não como estrangeiro no mundo que ele descreve. O importante é que isto se deve não a uma naturalização do homem, mas à firme convicção de que o mundo natural tem que ser referido necessariamente ao homem.

A redução do arbitrário

O que foi dito acima pode nos dar uma vaga ideia da maneira pela qual a ciência incorporou a noção de acaso, embora deixe claro quanto esta noção permanece ainda marcada pela equivocidade. Seria de se esperar que a noção de *ordem*, por ser a noção que rege a própria cientificidade do discurso, estivesse livre do equívoco. No entanto, isto não acontece. Tanto quanto o acaso, a ordem é marcada pela equivocidade.

A noção de *ordem* está indissoluvelmente ligada à noção de *inteligibilidade*, e o sentido de ambas é o da *redução do arbitrário.*[14] Para I. Stengers, a inteligibilidade tem por objetivo a redução do arbitrário dos *sistemas interpretativos*, enquanto que a ordem visa o arbitrário da *descrição*. Portanto, a inteligibilidade diria respeito ao registro explicativo, enquanto que a ordem estaria referida ao registro descritivo. Desta forma, um determinado dado fenomênico receberia inteligibilidades diversas dependendo dos sistemas interpretativos a que fosse submetido. A ordem diria respeito à *physis*, enquanto que a inteligibilidade diria respeito ao *logos*. No entanto, a questão não é assim tão simples. A própria I. Stengers assinala que uma ordem pode ser reconhecida e no entanto permanecer ininteligível. É o caso, por exemplo, de uma escrita não decifrada. Pode ocorrer ainda que aquilo que uma ciência aponta como ordem seja considerado desordem por outra ciência.

No que se refere às ciências humanas, a situação é ainda mais complicada. Isto porque nelas lidamos com processos que são constituídos e mediados pela linguagem, o que faz com que escapem à ordem natural, constituindo uma ordem própria e irredutível a ela.

Nas ciências humanas não temos uma ordem determinada pelas características intrínsecas ao objeto, mas pelas relações que este mantém com os demais. O determinante não é a lei do objeto, mas uma lei que, externa ao objeto, o submete e o determina como tal. As tentativas de "objetividade", por parte das ciências humanas, empreendidas na direção de uma "lei do objeto", resultaram numa naturalização destas ciências e numa negação de sua especificidade.

Entropia

No que se refere ao nosso tema, uma das consequências mais notáveis da termodinâmica foi a introdução da desordem na ordem.

Vimos como na ciência clássica a ordem reinava absoluta, ignorando a dispersão e a degradação. Com a formulação do segundo princípio da termodinâmica, mais especificamente com a noção de *entropia*, a desordem passa a ocupar um lugar tão importante quanto o que era ocupado pela ordem na ciência clássica.

Se considerarmos um processo natural qualquer, tomando por referência seu estado inicial A e seu estado final B, este processo será reversível ou irreversível, e isto dependerá exclusivamente dos estados A e B e não do processo propriamente dito. A questão está em saber se uma vez atingido B, é possível retornar integralmente a A. Se este retorno for possível, teremos um processo reversível, caso contrário, teremos um processo irreversível. Max Planck diz que no caso dos processos irreversíveis, a natureza tem uma "preferência" pelo estado B, enquanto que nos processos reversíveis ela não manifesta preferência nem por B nem por A, isto é, nem pelo estado final nem pelo estado inicial, o que permite o percurso num sentido ou no outro.[15]

A noção de irreversibilidade está diretamente ligada a de entropia, ou melhor, a entropia é uma grandeza que expressa a irreversibilidade de um processo e que ao mesmo tempo nos fala da *degradação* da energia de um sistema físico. Assim, se considerarmos um sistema fechado que não mantenha troca energética com o exterior, qualquer transformação interna que nele ocorra, qualquer trabalho, é acompanhado de liberação de calor. Essa energia transformada em trabalho não pode ser reconvertida, o que diminui a capacidade do sistema de efetuar trabalho e de se transformar, ou seja, o processo é irreversível. Essa degradação da energia interna ao sistema, irreversível, foi denominada *entropia*, por Rudolph Clausius, em 1850. Todo aumento de entropia é um aumento de desordem interna num sistema.

A dispersão geradora de ordem

A partir deste ponto, fica claro que o que está em causa não é apenas o trabalho efetuado por um sistema, mas a própria ordem e desordem aí implicadas. E é o próprio Planck quem se encarrega de conferir uma certa autonomia à desordem, pelo menos no que se refere à microfísica. Não mais uma desordem decorrente da ordem, não mais uma degradação no sentido platônico, mas uma desordem constitucional.[16]

Essa transformação sofrida pela ideia de *desorganização*, que de degradação e morte de um sistema transformou-se na ideia de um *acaso criador*,[17] será para nós da maior importância quando tratarmos, mais à frente, do conceito de *pulsão de morte* em psicanálise.

A ideia de uma desordem criadora é o ponto de partida para a possível transformação de sentido da antiquíssima dualidade ordem/acaso. Vimos que, tanto para a filosofia como para a ciência, a ordem sempre foi concebida como primeira e essencial, enquanto que a desordem apresentava o sentido de degradação da ordem preexistente. A própria ideia de caos original era frequentemente pensada como um momento de destruição ou de desorganização de uma ordem ainda mais original. A ideia de que a ordem e a desordem surgem simultaneamente recoloca a questão em novas bases. A noção de desordem ganha por sua vez novos sentidos. Ela, que até então era identificada como degradação e morte, passa agora a designar também encontro aleatório, dispersão, desigualdade, agitação, turbulência, ruptura, catástrofe, instabilidade, retroação positiva, difusão etc.[18]

A própria dualidade ordem/desordem torna-se estreita para abarcar a complexidade dos fenômenos estudados, e Morin propõe que seja substituída pelo esquema em forma de anel: ordem - desordem - interações [encontros] - organização - ordem.[19] A colocação da ordem no começo e no fim não significa que ela seja absoluta, que tudo tenha tido início numa ordem original e a ela retorne no final dos tempos. Um anel não tem começo nem fim. O que esse esquema em forma de anel pretende expressar é que não só o universo atual apresenta uma ordem, que não estamos imersos no caos, mas também que essa ordem é singular, ou melhor, que sua universalidade diz respeito ao nosso universo, e que um outro universo, surgido em condições diversas, apresentaria uma outra ordem.[20] Não há ordem essencial, "a ordem cessou de ser *una*. Existe ordem no universo, não existe *uma* ordem"[21] Além do mais, esse esquema é *um* esquema e não *o* esquema. Meu interesse ao reproduzi-lo aqui não é apresentar o esquema definitivo de pensabilidade do universo, mas apenas assinalar a mudança de perspectiva que surge a partir da termodinâmica e, mais recentemente, com a física estatística.

Seria o caso de perguntarmos se a representação acima conjurou definitivamente aquilo que, por analogia ao *demônio de Laplace*, poderíamos chamar de *demônio do dualismo*. Se o dualismo ordem/desordem ganhou uma configuração mais complexa, o velho dualismo ordem/acaso parece que volta a se insinuar, subterraneamente, através de questões que se situam para além da dualidade ordem/desordem (que no fundo ainda tomam a ordem como referência) e mesmo para além dos esquemas mais complexos como o acima apresentado. Penso aqui no *acaso* (tal como Lucrécio o concebia), ou mesmo no *caos*, como algo anterior à própria dualidade ordem/desordem.

A física atual não descartou a ideia de um caos original, caos cosmogênico. Uma nova concepção do caos, na qual ele deixa de ser identificado com o negativo puro e passa a ser visto como dotado também de positividade, caos criador do qual surgem a ordem e a desordem, passa a ter lugar na ciência contemporânea.

A ideia de que a dispersão pode ser geradora de ordem, de que ordem e desordem não são noções hierárquicas, de que a ordem absoluta é um sonho racionalista mas também que não existe uma desordem em si, nos auxiliará mais adiante a pensarmos o conceito psicanalítico de pulsão de morte.

4. Corpo do simbólico e corpo pulsional

Corpo e alma

Geralmente quando nos referimos a "corpo", o fazemos em relação a algo concebido como organizado, composto de partes, com seus limites e princípio de funcionamento. Esta foi a ideia que fez com que, a partir de Descartes e de La Mettrie, se pensasse o corpo humano por analogia à máquina – máquina mecânica para o período que vai de Descartes a Hegel e máquina energética para o período posterior a Hegel.

O corpo assim considerado é o corpo natural, corpo dotado de uma organização e de um modo de articulação com o mundo independentes da linguagem. Uma outra forma de se conceber o corpo é considerá-lo *submetido à linguagem*, e seria deste último que a psicanálise estaria falando ao se referir, por exemplo, ao *corpo erógeno.*

Assim sendo, a verdadeira dualidade para a psicanálise não seria a dualidade corpo x linguagem, já que este corpo é, ele próprio, corpo-linguagem, mas sim a dualidade constituída pelo que é *ordenado* (o que inclui tanto a linguagem como a representação do corpo) e aquilo que é *exterior à ordem*: as pulsões em estado bruto. Teríamos assim, de um lado, o *corpo-linguagem* e, de outro, as *pulsões*, pura potência indeterminada.

Este é, sem dúvida, apenas um dos aspectos sob os quais se manifesta o dualismo freudiano. Além deste, podemos falar também num dualismo de princípios (princípio de prazer e princípio de realidade), num dualismo tópico (inconsciente e pré-consciente/consciente, processos primários e secundários) e ainda num dualismo energético (energia livre e energia ligada). No nível das pulsões, há o dualismo entre pulsões de vida e pulsão de morte, e o próprio dualismo entre as pulsões e as representações, ou, para usar uma linguagem mais antiga, o dualismo entre o corpo e a alma.

Por mais que isto possa ferir os sofisticados ouvidos psicanalíticos ou ameaçar a mente crítica dos filósofos, a psicanálise recoloca o velho problema da relação corpo-alma.

Alguns poderão argumentar que essa questão é ociosa, que nossa ciência é uma *psico*-análise, e que portanto não tem que se interessar por aquilo que ultrapassa o campo da subjetividade. Afinal, não foi o próprio Freud quem nos advertiu que "o estudo das fontes pulsionais já não compete à psicologia?"[1] Quando muito, poderíamos fazer uma "física do espírito", mas não uma física do corpo.

A objeção não deve ser desprezada, sobretudo quando nos damos conta de que a própria psicologia foi durante muito tempo entendida como ciência da subjetividade. E é inegável que a psicanálise, embora não sendo uma psicologia *stricto sensu*, foi e continua sendo entendida como uma psicologia *lato sensu*, isto é, como uma ciência dos processos psíquicos – conscientes e inconscientes.

Em defesa dessa objeção, poderíamos ainda dizer que a psicanálise, mesmo quando entendida como uma ciência do psíquico, não exclui o corpo. Afinal, o "corpo erógeno" é um de seus temas centrais, o que atestaria a importância atribuída por ela ao corpo. E, no que se refere especificamente à pulsão, argumentariam ainda os defensores do ponto de vista acima que trata-se de uma "força psíquica" e não de uma força física do tipo daquelas estudadas pelas ciências naturais.

Ocorre, porém, que uma coisa é a *representação* do corpo, outra coisa é o corpo pulsional, corpo real, situado para além da representação. Por outro lado, se a pulsão não é uma "força natural", nem por isso ela deixa de ser potência corporal. Freud é bastante claro quando afirma que as pulsões são forças que ele supõe existentes *por trás* do Id, representando as exigências que o corpo faz à mente.[2] Portanto, algo que está para além do Id e não algo que o habita. O ponto central está no fato de que estas exigências não são exigências naturais e, mais ainda, que as pulsões são a "causa última" de toda atividade psíquica.[3] Há, portanto, não apenas uma questão ontológica que diz respeito à natureza do psíquico, sua autonomia ou dependência com relação à pulsão, como também a da natureza mesma da energia pulsional, pensada por alguns como "energia psíquica".

O que a partir de Freud se constitui como um complicador é que tanto o corpo quanto a alma terão que ser repensados em seu estatuto ontológico. Lacan é enfático ao afirmar que "o *Trieb* não pode de modo algum limitar-se a uma noção psicológica – é uma noção *ontológica* absolutamente fundamental..."[4]. Noção que coloca em questão tanto o corpo, tal como era pensado pela medicina na época de Freud, como o psiquismo, tal como era pensado pela filosofia e pela psicologia do século XIX.

A partir de Freud, nem a alma pode mais ser concebida como a portadora de formas *a priori* que ela aplica necessariamente aos dados sensíveis, nem tampouco o corpo pode mais ser considerado do ponto de vista médico-biológico. Freud anuncia um novo corpo e uma nova alma.

A desnaturalização do corpo

Uma forma de se pensar a desnaturalização do corpo pela psicanálise nos é sugerida por Lacan, de modo extremamente breve, numa série de entrevistas feitas em 1970 e que tomou o nome de *Radiophonie*.[5] A questão discutida é a da relação entre o corpo e o simbólico; mais especificamente, a do apossamento do corpo pelo simbólico, produzindo um corpo distinto do biológico, corpo próprio da psicanálise. Esta questão surge em resposta a uma pergunta sobre a possibilidade de se criar um campo comum a três disciplinas – linguística, etnologia e psicanálise – já que elas teriam em comum a noção de estrutura.

Para Lacan, a criação desse campo comum é inviável (em que pese a noção de estrutura), pelas diferentes maneiras dessas disciplinas conceberem as noções de inconsciente e de sujeito. A linguística, por exemplo, "deixa em branco o que [no inconsciente] faz efeito: o objeto a", condição para que se possa falar em "ato psicanalítico"; e no que se refere ao sujeito, apenas a psicanálise tornaria manifesto o sujeito como outro, fornecendo ao mesmo tempo a chave de sua divisão. E isto sem entrarmos em maiores detalhes que evidenciariam de forma cabal a impossibilidade de unificação das três disciplinas em um campo único.

Mas é respondendo a essa pergunta que Lacan vai colocar a estrutura como sendo o "corpo do simbólico", como sendo capturada onde o simbólico toma corpo: "Seguir a estrutura", diz ele, "é assegurar-se do efeito da linguagem",[6] e o efeito da linguagem é que o *simbólico incorpora*. É o próprio Lacan quem faz justiça aos estoicos, assinalando que foram eles os primeiros a desenvolverem uma teoria dos incorporais na qual é estabelecida essa relação entre o simbólico e o corpo.

Os incorporais dos estoicos e o noema de Husserl

Há mais de dois milênios, os estoicos afirmavam que *tudo o que existe é corpo*: corpo material, ativo, com sua tensão interna, suas qualidades e propriedades. Apenas os corpos podem ser causa, sendo que nenhum corpo pode ser efeito. Não há, para os estoicos, relação de causa e efeito entre os corpos. Os corpos são causa *uns para os outros* de efeitos que não são corpos: são os *incorporais*.[7] Os incorporais não são coisas nem propriedades de coisas; não são propriamente seres, mas extrasseres. Os incorporais são *acontecimentos*. E um acontecimento é tanto da ordem do ser como da ordem da linguagem, sem, no entanto, se reduzir a um ou a outro. "O acontecimento subsiste na linguagem mas acontece às coisas."[8] Assim, o termo "incorporal" tanto designa algo que não é corpo como pode designar essa articulação corpo-linguagem de que nos fala Lacan em *Radiophonie*.

É verdade que os estoicos não afirmaram que "o simbólico incorpora", mesmo porque não podemos atribuir-lhes uma noção de simbólico que lhes é estranha e mesmo extemporânea; mas é indiscutível que para eles o acontecimento-incorporal é esse efeito de superfície que resulta da articulação da palavra com o corpo constituindo o *sentido* (*Sinn*, na terminologia de Frege). O acontecimento sentido situa-se, portanto, na fronteira que separa corpo e linguagem. Isto, porém, não faz do incorporal uma mistura de ambos. O que se mistura, para os estoicos, são os corpos entre si. Apenas eles são capazes de ação e de paixão. Os acontecimentos são impassíveis, não agem nem padecem.

No entanto, o acontecimento não é redutível ao acidente, àquilo que acontece, mas ele é *naquilo que acontece*, o *expresso*[9] E é isto que permite a Deleuze aproximar o acontecimento-sentido dos estoicos e o *noema* de Husserl. A árvore, coisa da natureza - escreve Husserl - pode queimar, decompor-se em seus elementos químicos; mas o sentido, o sentido da percepção não pode queimar, não tem elementos químicos, nem forças, nem propriedades reais.[10] Também em Husserl, não se trata de fazer do acontecimento um estado de coisas, nem tampouco reduzi-lo a uma vivência psicológica. O sentido do *noema* perceptivo não é um ingrediente das vivências.[11] Não é, pois, representação psicológica nem corpo.

Se aceitarmos a sugestão de Lacan no sentido de aproximarmos sua afirmação de que "o simbólico toma corpo" à concepção estoica do incorporal, somos levados a conceber o "corpo do simbólico" como análogo ao *noema* de Husserl, o que possibilitaria também aproximá-lo do *puro objeto* de Meinong, e neste caso ele seria verdadeiramente um *Ausserseind*, um extrasser.

Com isto, afastamo-nos definitivamente da ideia do corpo entendido como natural. A recusa de Lacan de entender o corpo psicanalítico como corpo biológico fica mais clara ainda, quando ele afirma que "para o corpo, é secundário que esteja morto ou vivo".[12] O corpo humano, mesmo morto, permanece incorporado pelo simbólico, não se transforma em carniça, como diz Lacan.

Basta lermos *Antígona* para nos darmos conta dessa verdade, que já era cara aos gregos. Que se leia também o capítulo VII da *Fenomenologia do Espírito*, onde Hegel, referindo-se à cidade grega, afirma que nela o vínculo que unia os membros da família era o culto aos mortos. Na natureza, diz Hegel, onde a vida é biológica, o morto se torna uma simples coisa. A função da família é retirar a morte do âmbito do natural, restituindo-lhe seu sentido humano (simbólico), impedindo que o indivíduo seja reduzido à condição de coisa. Esta é a luta de Antígona, desafiando a lei da cidade para enterrar seu irmão Polineicis, condenado pelo Estado a ficar insepulto.

Portanto, não é apenas do corpo vivo que o simbólico se apropria. Ele se apossa do corpo antes mesmo do seu nascimento e estende essa posse para além da morte biológica do corpo. Daí o jogo que Lacan faz com *corps* (corpo), *corpse* (cadáver) e *corpsifiat* (corpo que a linguagem cadaveriza).

A questão que se coloca a partir daí é de como vamos situar esse corpo em relação às pulsões. Será esse corpo do simbólico aquele que é apontado por Freud como fonte das pulsões? Ou será ele já da ordem da representação, e portanto pertencente a outro registro que não o do real (ao qual referimos a pulsão)? É claro que o real se faz presente nesse corpo do simbólico, mas isto não significa que este corpo seja da ordem do real. Uma coisa é a realidade do corpo do simbólico, outra coisa é o corpo pulsional enquanto ocupante do lugar do real (embora não coincidindo com a totalidade do real).

Se aceitarmos ainda a sugestão de Lacan no sentido de aproximarmos o corpo do simbólico ao incorporal dos estoicos, é preciso que não nos esqueçamos que o incorporal estoico é da ordem do acontecimento, portanto, um efeito de superfície e não algo que se situe na profundidade dos corpos. Um incorporal não pode ser causa, não é força, não produz efeito. Não vejo como situar a pulsão no mesmo registro do incorporal.

Corpo do simbólico e corpo pulsional

De fato, o que Lacan chama de corpo do simbólico, ou *corpo primeiro*, é o efeito dessa *in-habitação* da linguagem, que transforma o organismo vivo em corpo. Este, foi o objeto das primeiras preocupações de Freud – o corpo da histérica. E este é o corpo que denominamos de *corpo erógeno*, corpo imaginário, portanto, e não *corpo pulsional*. O corpo imaginário é o efeito de superfície resultante da articulação do real com o simbólico. Cada sentido que o corpo imaginário expressa é análogo ao *noema* husserliano ou ao *incorporal* dos estoicos, não é da ordem do real e nem da ordem do simbólico pura e simplesmente, mas efeito da articulação entre ambos.

Se identificarmos o *corpo pulsional* com o *corpo do simbólico*, seremos forçados a colocar a pulsão no espaço da representação, e não no espaço do real. Sem dúvida alguma há uma *presença* da pulsão no psiquismo, e as noções de *Triebrepräsentanz* e de *Vorstellungsrepräsentanz* pretendem designar exatamente isto. Mas uma coisa é o representante da pulsão no psiquismo, outra coisa é a pulsão ela mesma.

Assim sendo, teremos que admitir um outro registro do corpo, para além do corpo do simbólico.

O *corpo pulsional* é de outra ordem. Não é representável, não é atravessado pela linguagem, não se constitui como sentido, não é da ordem do acontecimento. O corpo pulsional distingue-se tanto do corpo do simbólico como do corpo biológico.

Por outro lado, vimos que é somente a partir do simbólico que podemos falar em pulsão como algo distinto do natural biológico. Se abandonamos a referência à linguagem, não há como distinguir a pulsão (*Trieb*) do instinto (*Instinkt*). E aí caímos numa aparente contradição, posto que também a pulsão teria que ser entendida como um efeito dessa *in-habitação* da linguagem, ou da *incorporação* de que nos fala Lacan.

Creio que a contradição resulta de pensarmos a questão em termos de gênese e não em termos de estrutura. É somente quando admitimos uma ordem natural *original*, em relação à qual tudo mais seria um epifenômeno, que o problema se nos apresenta como de difícil solução. Ou mais precisamente ainda: é somente quando conferimos ao biológico o estatuto metafísico de uma ordem original e essencial que somos forçados a pensar nas demais ordens como secundárias e desviantes.

Estruturalmente, não há anterioridade do simbólico sobre o imaginário ou o real (embora Lacan fale numa anterioridade *lógica* do simbólico). A menos que aceitemos a preexistência dessa natureza organizada a que fizemos referência – o corpo biológico –, sobre a qual a palavra faça sua incidência impondo uma nova ordem – a ordem simbólica –, a contradição não se mantém.

Não é a pulsão ou a palavra que se constituem como nosso maior problema, mas sim a ideia de *natureza*. Esta é que tem que ser repensada ao tratarmos do corpo em psicanálise.

Como, porém, recusar a noção de natureza? E não estou mais pensando em uma natureza original. Mesmo em se tratando de uma natureza secundária - natureza resultante do acaso dos encontros, como pretendia Lucrécio -, como recusar-lhe uma realidade e uma ação causal sobre o psiquismo? A afirmação de um corpo pulsional, irredutível ao corpo biológico tanto quanto ao corpo do simbólico, não corresponderia à construção de um outro mito, o de um começo absoluto para a psicanálise?

Se algum "começo absoluto" pode ser apontado para a psicanálise, só pode ser o do inevitável ponto de partida na linguagem e não um começo ontológico análogo à natureza primeira produzida pelo Demiurgo platônico do *Timeu*. O "dado" primeiro da psicanálise não é o corpo biológico, mas a linguagem. O ovo mítico da psicanálise é o discurso. Neste sentido, podemos aproximar Freud/Lacan de Hegel. Quando Lacan afirma que "a razão, o discurso, a articulação significante como tal, está aí de entrada, *ab ovo*, em estado inconsciente", que "antes do nascimento de toda coisa referida à experiência humana, ela está aí dissimulada, desconhecida, não dominada, sem que aquele mesmo que é seu suporte saiba dela", e quando afirma ainda que "é em relação a uma situação estruturada dessa maneira que o homem tem, *num segundo tempo*, de situar suas necessidades",[13] dificilmente podemos evitar uma aproximação com a *essência* hegeliana. Isto, sem contar que, tanto para Hegel como para Freud/Lacan, a questão central é o sujeito.

Teremos então que concordar com Lacan quando ele diz que o *corpo primeiro* é o corpo do simbólico? Escapamos da biologia e caímos na linguística? Já vimos que o próprio Lacan responde negativamente a esta pergunta. Falta ao inconsciente linguístico algo que para a psicanálise é fundamental: a noção de objeto *a*, assim como o conceito de sujeito, entendido como sujeito cindido; o que afasta a ameaça de redução à linguística, mas não elimina o fato de que a articulação significante é o ponto de partida necessário da psicanálise. Quanto à primeira pergunta, não creio que a resposta seja simples. Se por um lado temos que concordar que o simbólico incorpora, constituindo um *corpo do simbólico*, distinto do corpo biológico, por outro lado, tanto Freud quanto Lacan afirmam um para além da linguagem e da representação, que seria o lugar das pulsões, lugar do real para a psicanálise.

A qual corpo estão referidas essas pulsões: ao corpo do simbólico ou ao corpo do real – corpo pulsional? Como conceber este corpo? Se antes tínhamos apenas um corpo – *o biológico* –, e com Freud/Lacan passamos a ter um outro corpo – o do *simbólico* –, não seria complicar demasiadamente a questão a introdução de um terceiro corpo – *o pulsional* – irredutível aos dois primeiros? Essa é a nossa questão.

Não creio que seja suficiente falarmos no corpo da histérica, ou assinalarmos a dor sentida no órgão fantasma do mutilado, para respondermos à questão acima. Isto pode ter lugar numa resposta quanto à questão do corpo do simbólico, tal como é colocado por Lacan, mas não responde à questão do corpo real. A menos que aceitemos que o corpo real pertence à biologia, e neste caso, este sim, seria o *corpo primeiro*, do qual o corpo psicanalítico seria desviante.

Creio que não será excessivo ressaltar que minha pretensão não é, de forma alguma, afirmar que o biológico não existe, ou de recusar-lhe uma positividade em termos de realidade. Seria ainda ingênuo não levar em conta a representação imaginária que fazemos do corpo biológico. Não é disto, portanto, que se trata esta exposição. Não estou tentando afirmar o corpo psicanalítico como antítese do biológico, mas simplesmente afirmá-lo como *diferença*. Acredito que essa diferença já ficou suficientemente explicitada por Lacan quando ele assinalou a irredutibilidade do *corpo do simbólico* ao corpo biológico, mas isto não me parece suficiente para caracterizar o corpo como sede ou fonte das pulsões.

Quando Lacan elabora os conceitos de *Real*, *Simbólico* e *Imaginário*, e quando expressa estes conceitos em termos do nó borromeano, ele nos adverte que não se trata de uma metáfora. Isto significa, dentre outras coisas, que estes três registros do campo psicanalítico não podem ser pensados isoladamente, que se tentarmos isolar um deles o nó se desfaz, desfazendo-se a estrutura e com ela a própria pensabilidade do campo. Não é este o nó a ser desatado, mas aquele outro que resulta da identificação do corpo do simbólico com o corpo pulsional.

5. O OBJETO ABSOLUTO FALTA

Como consequência da desnaturalização do corpo e da pulsão, o objeto absoluto falta, e esta é a marca antimetafísica da psicanálise. Por "objeto absoluto" devemos entender aquele que tornaria possível a satisfação plena e, portanto, a extinção temporária da falta.

O que está implicado aqui é a distinção que venho fazendo desde o início entre a relação *natural* corpo-objeto (caracterizada pela plenitude) e a relação *humana* corpo-objeto, caracterizada pela impossibilidade de completude, já que mediada pela linguagem. Esse objeto absoluto é a Coisa (*das Ding*) de que Lacan nos fala no *Seminário 7* e à qual Freud faz referência no *Projeto* de 1895 como sendo o vazio em torno do qual se organizam as *Vorstellungen*.

No entanto, Freud afirma que "o alvo de uma pulsão é em todos os casos a satisfação".[1] E por "satisfação" (*Befridgung*), entende ele a eliminação do estado de estimulação na fonte da pulsão, sendo que aquilo através do qual essa satisfação pode ser obtida é o objeto. Tudo seria maravilhosamente simples se não estivéssemos frente a algo análogo a uma equação com três termos e três incógnitas. Isto porque o objeto absoluto falta. Falta não no sentido de uma carência momentânea e acidental, mas no sentido de que ele nunca existiu enquanto objeto da pulsão.

Objeto da pulsão e objeto do desejo

Ao contrário do instinto (*Instinkt*), que tem seu objeto específico, a pulsão caracteriza-se por não possuir objeto próprio. De fato, qualquer objeto pode ser objeto da pulsão; ele é o que há de mais variável, nos diz Freud, "não está originalmente ligado a ela, mas com ela se articula apenas em função de sua aptidão para possibilitar a satisfação".[2] Ocorre porém que essa aptidão não decorre das propriedades desse objeto nem de uma possível adequação que ele possa ter com relação às fontes da pulsão, mas sim da relação que ele possa ter com o desejo. Entre a pulsão e o objeto, há o desejo e a fantasia. Desta forma, um objeto só se constitui como objeto da pulsão se ele se fizer objeto para o desejo. Como é pela fantasia que o objeto se articula com o desejo, ela é a mediação necessária entre a pulsão e o objeto.

A esse objeto que se constitui como objeto da pulsão à condição de ser objeto para o desejo, Lacan denomina objeto *a*, que é o objeto propriamente dito da psicanálise.[3] A pulsão é, dessa forma, a relação que o sujeito mantém com o objeto pela fantasia, e esta é uma das razões pela qual o conceito de pulsão se constitui como a grande novidade da teoria psicanalítica, pois difere de qualquer outro modo pelo qual se tentou, até então, falar da relação sujeito-objeto.

Se retomarmos agora a afirmação de Freud reproduzida acima, segundo a qual a satisfação da pulsão seria obtida pelo "cancelamento do estado de estimulação na fonte", fica evidente que este cancelamento não pode ser obtido, já que todo objeto é um objeto emprestado e, portanto, inadequado. Esta é a razão pela qual a pulsão permanece como uma *konstante Kraft*, uma força constante, capaz de ser apaziguada mas não extinta.

Se a fantasia é o que articula a pulsão e o objeto, ao mesmo tempo que oferece ao desejo seus objetos,[4] ela se constitui verdadeiramente como um anteparo ou tela entre o sujeito e a pulsão, desempenhando um papel fundamental na relação do sujeito com o outro. Daí a hipótese lacaniana, desenvolvida por J.A. Miller, segundo a qual a fantasia é concebida como um aparato de transformar gozo em prazer, ou, melhor ainda, como um aparato de domar o gozo para que o prazer possa advir. No *Seminário 11*, Lacan afirma que o real é o que suporta a fantasia, mas a fantasia é o que protege o real.[5]

Afirmar que entre o corpo pulsional e o objeto interpõe-se o desejo e suas fantasias é o mesmo que dizer que entre ambos interpõe-se a rede de significantes. Esta, ao mesmo tempo que funda o corpo como corpo pulsional (não natural), institui o objeto como objeto *a*. O objeto *a* é ao mesmo tempo resíduo e índice da Coisa, ele é o que permanece por efeito da perda do objeto absoluto; e o que permanece é um furo, uma falta central em torno da qual organizam-se os significantes. Esse furo, Lacan afirma, é da ordem do real.[6]

O ponto de partida na linguagem

Evitemos mal-entendidos. Dizer que o objeto *a* e a pulsão são da ordem do real, não significa dizer que eles são primeiros em relação à incidência da linguagem sobre o corpo. O real não é o ponto de partida de uma gênese cujo ponto final são os significantes. Não é de gênese que se trata aqui. Se admitíssemos a pulsão, o objeto *a* e a Coisa (*das Ding*) como um real anterior à linguagem, real este que seria perdido posteriormente por efeito do aparecimento da linguagem, estaríamos adotando uma postura naturalista. Tanto a pulsão como o desejo e seu objeto são efeitos da linguagem. Se quisermos falar em termos de gênese, esta terá que ser entendida como gênese lógica e não como gênese ontológica.

A perda do objeto absoluto é a perda de algo que nunca se teve, já que psicanálise se situa desde o começo no lugar da linguagem. Da mesma forma que a pulsão, ele resulta da incidência da palavra sobre o corpo, e não há um "antes" relativo a essa incidência. Assim, tanto a pulsão como o desejo e seus objetos são efeitos da linguagem. Afirmação por demais ampla mas que não deve ser desprezada ou esquecida sob pena de naturalizarmos a pulsão e o desejo, e *a fortiori* o inconsciente.

Fica evidente a partir do exposto acima que a psicanálise não parte do real, mas da linguagem. Ela não pressupõe um real identificado com o mundo, a partir do qual constrói o psíquico como lugar da representação. O real não é o mundo, e a tese que a psicanálise sustenta é de que o real jamais terá lugar no mundo (entendido este como o correlato da consciência). O real é um suposto e não um dado; é o ponto de chegada teórico e não o ponto de partida. Tal como o inconsciente, o real é uma hipótese.

Ao retomar o conceito freudiano de inconsciente e ao articulá-lo aos conceitos de significante e de real, Lacan coloca-se no interior do grande debate que o pensamento contemporâneo trava em torno da linguagem. Com o conceito psicanalítico de *real*, somos remetidos para além do inconsciente, para além do Édipo, para além do princípio de prazer, para além da rede de significantes. Mas esse "além" só é pensável a partir da linguagem.

A partir de Freud, Lacan elabora uma verdadeira ontologia regional ao colocar o ser do homem como desejo, desejo que permanece apesar de, ou por causa de, não se dar jamais a apropriação do objeto entendido como objeto absoluto. O homem é pensado a partir dessa falta do absoluto, e, no entanto, é para esse absoluto que ele se dirige enquanto desejo. Se o desejo é falta, ele aspira à plenitude.

Se o objeto absoluto falta, algo fica em seu lugar para assinalar essa falta. E o que fica é o objeto *a*. Mas o objeto *a* não é nenhum objeto em particular, ele é antes um furo em torno do qual gravitam os significantes. O objeto *a* não é o seio, não é o corpo da mãe, também não se identifica com a Coisa; ele é aquilo que, no espaço da representação ou na rede de significantes, aparece como falta central. Nenhum objeto é o objeto *a* e todos os objetos se apresentam como pretendentes ao seu lugar. Não se trata, em psicanálise, de distinguir os pretendentes legítimos dos ilegítimos. Não há objetos legítimos porque não há o objeto absoluto que funcione como modelo. O que pode ser considerado como real não é este ou aquele objeto, mas precisamente o furo, a falta. Estamos já distantes de Platão.

No seu movimento em direção ao objeto, a pulsão o contorna e retorna à fonte. Dizer que a pulsão "contorna" o objeto, não significa que ela o faça efetivamente, mas que a inexistência do objeto absoluto faz com que uma distância seja permanentemente marcada entre o objeto faltoso e o objeto para o qual ela se dirige. É essa distância – índice da falta – que faz com que ela retorne em direção à fonte e recomece seu movimento em direção ao objeto. Não podendo se satisfazer senão parcialmente, já que nenhum objeto lhe é plenamente adequado, permanece sempre uma insatisfação que impede à pulsão esgotar-se no objeto. Daí sua marca distintiva ser esse movimento de vaivém, esse retorno em circuito, que é a repetição. Afirmar que pulsão é repetição, é afirmar esse movimento em circuito que faz dela uma *konstant Kraft* em vez de uma força intermitente caracterizada por um ritmo.

Contudo, por mais variáveis e numerosos que possam ser os caminhos da pulsão em direção ao objeto, "o alvo último permanece invariável", como afirma Freud. O que nos leva a questionar o verdadeiro sentido desse alvo (*Ziel*).

É evidente que o alvo não é o objeto. O *Ziel* não é o *Objekt*. Este é apenas um meio, e o que Freud nos diz é que os caminhos que levam ao alvo são diversos, de tal modo que surgem alvos próximos ou intermediários que se permutam uns pelos outros. Esses alvos próximos ou intermediários constituem-se como satisfações parciais, o que faz com que o alvo último fique deslocado em relação à satisfação propriamente dita.

Há ainda um outro fato apontado por Freud que nos obriga a repensar a questão da satisfação da pulsão. Trata-se da sublimação, um dos destinos da pulsão apontados por ele no artigo de 1915.

A sublimação

Sabemos que a sublimação caracteriza-se pelo desvio das pulsões de seus alvos sexuais em direção a outros que não apresentam nenhuma relação aparente com o sexual. Esta pelo menos foi a forma pela qual Freud caracterizou a sublimação nas poucas referências que fez a ela. O critério aqui é social e não psicanalítico. Mas, em verdade, todo alvo é sexual, psicanaliticamente falando (salvo a partir de 1920 quando é introduzida a pulsão de morte como pulsão destrutiva). Daí Freud dizer que a sublimação não é uma exclusão da satisfação, mas sim uma das modalidades possíveis de satisfação. Trata-se, segundo ele, da pulsão de "alvo inibido", isto é, de processos nos quais há um avanço no sentido da satisfação mas ao mesmo tempo uma inibição ou um desvio desse alvo. Isto porém não impede que haja uma satisfação parcial,[7] ou melhor, implica em que sempre uma satisfação parcial seja possível. Esta possibilidade está ligada à plasticidade das pulsões, referida acima.

Consideradas em si mesmas, as pulsões caracterizam-se por aquilo que Lacan chama "deriva".[8] Estar à deriva é ser remetido ao acaso dos encontros, encontro sempre faltoso, nos diz ele ainda, que vai ser subjugado ou ordenado pelo mundo dos signos.[9] O que estrutura a libido não é o primado do genital, mas a articulação das pulsões com a rede de significantes. Essa articulação nada tem a ver com a suposta relação entre as pulsões e o mundo natural, e tampouco é derivada dele como uma espécie de desvio. O microcosmo de imagens ligadas às pulsões não tem absolutamente nada a ver com o macrocosmo e, segundo Lacan, não engendra um mundo senão na fantasia.[10]

Daí o equívoco ou a deriva que caracteriza a pulsão. É na sua articulação com a rede de significantes que uma ordem lhe é imposta. Trata-se porém de uma ordem que lhe é externa, ordem própria dos signos e não das pulsões, e que por esta razão torna possível apenas uma satisfação parcial. A satisfação plena é impossível.

O que nos interessa no momento não é tanto a impossibilidade da pulsão ser satisfeita, mas as incontáveis maneiras de ela ser satisfeita... parcialmente. Se por um lado a submissão ao mundo dos signos impede a satisfação plena, por outro lado, essa mesma submissão multiplica de forma incomensurável suas possibilidades de satisfação. Este é o equívoco fundamental da pulsão. O mundo ao qual ela se dirige é um mundo emprestado, mundo no qual não há que buscar o objeto perdido, posto que ele jamais o habitou.

Se a questão da satisfação diz respeito ao *Ziel*, ao alvo da pulsão, ela não é contudo desvinculada da questão do objeto. E isto se torna mais claro quando tratamos da sublimação. Ela descreve algo que acontece com a pulsão, diz Freud,[11] mas é um processo que corresponde à libido de objeto. E o que se exige do objeto é que ele seja socialmente valorizado. Como defesa contra o sofrimento decorrente da não saciedade das pulsões, a sublimação é das mais eficientes, além de ser muito flexível e de possibilitar satisfações substitutas bastante valorizadas socialmente.

Comover a corporeidade

Tudo, porém, tem seu preço. E o preço de se obter satisfação com objetos sublimados é o dessa satisfação não se sustentar, pois "não comove nossa corporeidade", como podemos ler em *O mal-estar na cultura*.[12] Nisso reside o limite da sublimação. As pulsões exigem uma dose mínima de satisfação no nível do real. Se toda satisfação fosse obtida por sublimação, faltaria a ela a intensidade necessária para "comover nossa corporeidade", o que, no entender tanto de Freud como no de Lacan, provocaria perturbações graves. Daí, nem tudo poder ser sublimado.

Não fica inteiramente claro o que seria essa "comoção da corporeidade". Freud nos fala da satisfação obtida pelo artista em seu processo de criação e da satisfação do pensador ao procurar a solução de um problema como satisfações "mais finas e superiores" se comparadas àquelas obtidas pela saciedade de moções pulsionais mais grosseiras e primárias.[13] Sabemos porém a que grau de êxtase corporal pode chegar uma religiosa em suas orações celebrando sua união com Cristo. Há, nestes casos, uma indiscutível comoção corporal e, ao mesmo tempo, uma forma sublimada de satisfação. "A vida não é um sonho", mas o próprio Freud nos fala da capacidade que o sonho tem de comover nossa corporeidade, produzindo, por exemplo, poluções noturnas como forma de descarga da tensão sexual.[14] Podemos dizer que nesses dois casos a satisfação é obtida alucinatoriamente, e que este "atalho alucinatório", como nos diz ele, não pode ser tomado de forma permanente, que mesmo no nível da fantasia, ou sobretudo em relação a ele, o real faz sua exigência.

Qual é essa exigência? Se por um lado ela diz respeito à satisfação, por outro ela implica o objeto. É em relação ao objeto, enquanto meio para a satisfação, que essa exigência é aqui colocada em questão. Se admitirmos que a economia das *Triebregung* obedece apenas a um primado que é a de ser dominada pelo mundo dos signos,[15] se "esse microcosmo de imagens ligadas aos modos pulsionais... não tem nada a ver com o macrocosmo, e não engendra um mundo senão na fantasia",[16] se pela sublimação os objetos podem ser os mais ideais possíveis e mesmo assim possibilitarem uma satisfação, como estabelecer o critério segundo o qual essa exigência será atendida?

O que distingue o objeto no caso da sublimação não é uma propriedade imanente ao objeto enquanto tal ou à relação que ele possa ter com a fonte pulsional, mas sim o fato de ele ser aprovado ou valorado pelo grupo social. O que Freud estabelece em *Intro-*

dução ao narcisismo, através da oposição *Ichlibido-Objektlibido*, é que toda relação com o objeto tem como ponto de partida uma relação narcisista, portanto, imaginária. Tanto o *Narzissmustypus* como o *Anlehnungtypus* referem-se a tipos de relação imaginária, isto é, ambos têm como referência uma situação primitiva: no primeiro caso, ama a si mesmo; no segundo caso, a mulher que alimenta ou o homem que protege. A saída dessa relação imaginária vai ser possível a partir do deslocamento da libido para um ideal de eu distinto do eu ideal anterior, que se coloca já no plano do simbólico e não mais do imaginário. É neste ponto que Freud faz intervir a distinção entre idealização e sublimação, marcando o fato de esta última estar referida apenas à libido do objeto, enquanto que a primeira pode dizer respeito tanto à libido do objeto como à libido do eu.

Mas os objetos que vão se constituir a partir dessa identificação imaginária não são, evidentemente, os objetos da pulsão. Quando muito, podemos dizer que são objetos emprestados à pulsão. É deles que ela tem que se servir para que alguma satisfação possa advir. Para que isto seja possível, o que é exigido desses objetos é que neles haja um mínimo de presença do real, um mínimo de "coisidade", sem a qual não haverá a dose mínima de satisfação exigida pela pulsão. O fato de nossa relação com os objetos ser sempre e necessariamente mediada pela fantasia não implica que esses objetos sejam puramente fantasmáticos. O que nos leva ao tópico seguinte: o estatuto da Coisa (*das Ding*).

6. Em busca da coisa perdida

A proposta metafísica

A ideia da existência de objetos absolutos, inacessíveis ao conhecimento mas concebidos como reais em si mesmos, remonta aos primórdios da filosofia e representa a própria essência da metafísica. Podemos dizer que a metafísica tem início quando esse objeto é postulado. A partir de então, o mundo dos objetos fica cindido em duas partes: a primeira dizendo respeito aos objetos da nossa experiência, concebidos como fenômenos ou mera aparência ilusória, e outra parte dizendo respeito aos objetos absolutos concebidos como coisa-em-si, verdadeira realidade.

A essa cisão no mundo dos objetos corresponde uma outra na esfera do conhecimento. Enquanto o conhecimento dos fenômenos passa a ser visto como defeituoso, imperfeito e de valor duvidoso, o conhecimento da coisa-em-si passa a ser o objetivo da metafísica. Claro que essa cisão traz com ela um problema que se tornou central na metafísica: o de como é possível conhecer a coisa-em-si. Esse foi o problema com o qual Kant se defrontou em sua *Crítica da razão pura*.

A crítica kantiana

A crítica kantiana é também uma crítica à metafísica, e uma das primeiras reformulações que ela empreende é a da noção de fenômeno. Para Kant, o fenômeno deixa de ser concebido como aparência ilusória e passa a ser considerado como dado da natureza. O fenômeno nada mais é do que o objeto empírico tal como é percebido por nós. Não há uma natureza misteriosa, oculta por detrás dele. Fenômeno e dado da natureza são sinônimos. É ele o objeto do conhecimento para Kant.

Isto não significa que o conhecimento seja o mero efeito da impressão desses dados sobre uma consciência passiva. Segundo Kant, a consciência opera com suas formas *a priori* – o espaço e o tempo, e as categorias – sobre o diverso sensível. O conhecimento é o processo através do qual a multiplicidade sensível é estruturada pelas formas *a priori* do entendimento (as categorias) e as formas *a priori* da sensibilidade (o espaço e o tempo). O que resulta desse processo é o fenômeno.

Não há uma natureza primeira em relação à qual a natureza percebida é um epifenômeno. O mundo, enquanto mundo organizado, é o lugar da nossa experiência, e esta organização resulta das formas que impomos aos dados sensíveis. Para além dessa natureza organizada, o que há é a coisa-em-si (*Ding-an-sich*), alheia tanto ao espaço e ao tempo como às categorias do entendimento. Volto a frisar que a coisa-em-si não é postulada por Kant como um incognoscível colocado à parte das exigências lógicas da crítica. "Coisa-em-si" é um conceito, e como tal tem que se submeter aos critérios epistemológicos que fazem parte da crítica kantiana.[1] Há, pois, uma distinção fundamental entre a *sensibilidade*, isto é, a maneira pela qual os objetos nos são dados, e o *entendimento*, que se refere à maneira pela qual os objetos são pensados.[2] Enquanto a primeira diz respeito aos dois meios da intuição espaço e tempo, a segunda diz respeito à nossa faculdade de construir conceitos. Quando dizemos, portanto, que o conhecimento é conhecimento de fenômenos, de objetos empíricos, não o estamos mais concebendo como cópia de uma realidade que existe em si, mas como produtor desta realidade fenomênica composta de objetos empíricos. Aquilo que está além dessas determinações da sensibilidade e do entendimento, permanecerá indeterminado. É a coisa-em-si.

Coisa-em-si e objeto-em-si

Kant faz uma distinção que nem sempre fica clara nas exposições que temos sobre sua filosofia: é a distinção entre objeto-em-si e coisa-em-si. Por *objeto-em-si* devemos entender o próprio fenômeno, isto é, o objeto tal como se dá à nossa experiência (por exemplo, a mesa sobre a qual eu escrevo), enquanto que a *coisa-em-si* é o que se encontra para além do fenômeno e, portanto, para além de qualquer experiência possível. Isto não faz com que Kant considere o fenômeno como simples aparência ilusória em oposição ao real da coisa-em-si. O fenômeno, ou objeto-em-si, é considerado por ele como real, mesmo levando-se em conta suas determinações subjetivas.[3]

Dizer, no entanto, que a coisa-em-si encontra-se para além de qualquer experiência possível, não significa, como já salientei antes, que a coisa-em-si possa ser identificada ao misterioso e ao inefável. A coisa-em-si não pode ser *conhecida* mas pode ser *pensada*. Trata-se de um conceito-limite que se aplica a objetos considerados não como objetos da intuição sensível mas como entes do pensamento. Para designá-los, Kant empregou o termo *Noumena*, utilizado por Platão no *Timeu* para designar as Ideias. O númeno (*noumena*) não pode ser objeto do conhecimento porque este opera necessariamente com as formas da sensibilidade e do entendimento, e o termo "númeno" designa precisamente algo que não é objeto de nossa intuição sensível.[4] Mas aquilo que é apenas pensado, isto é, considerado à parte das formas da sensibilidade (espaço e tempo), não pode ter nenhuma determinação positiva. Daí Kant afirmar que o númeno tem um significado apenas negativo, ou se admitimos para ele um significado positivo, este não estaria dentro das possibilidades do entendimento humano. Assim, podemos fazer um uso apenas negativo do númeno, e, como tal, único. É isto que faz dele um conceito-limite que Kant aplica à coisa-em-si.

Númeno e *coisa-em-si* não são portanto sinônimos. O númeno é um ente de razão, enquanto que a coisa-em-si é a realidade absoluta, o verdadeiro ser (embora incognoscível). A distinção entre *phaenomena* e *noumena* é fundamentalmente lógica, enquanto que o conceito de coisa-em-si tem uma implicação metafísica.

Se admitimos com Kant que o conhecimento é o processo segundo o qual a multiplicidade sensível é condicionada segundo as unidades sintéticas do entendimento, então teremos que admitir que a coisa-em-si é o *incondicionado*, o absolutamente indeterminado para nós, impossível de ser conhecido, experimentado ou concebido.

Condicionado e incondicionado, determinado e indeterminado, constituem dois aspectos sob os quais podemos enfocar a natureza. Enquanto o primeiro diz respeito à natureza fenomênica, objeto da experiência e do conhecimento, o segundo diz respeito à natureza considerada em si mesma. Esta distinção é análoga à empreendida por Spinoza entre *natureza naturante* e *natureza naturada*; uma designando o que existe em si e por si (a Substância) e outra designando o que resulta da necessidade da Substância e de seus atributos (os *modos* para Spinoza; os *fenômenos* para Kant).[5]

Natureza e liberdade

A natureza determinada (ou condicionada) é constituída pela série de fenômenos ligados entre si pela relação de causa e efeito. Essa cadeia de causas não admite uma totalidade absoluta ou um ponto de partida concebido como a ação originária na série fenomênica.[6] A série fenomênica expressa a pura necessidade natural onde aparentemente não haveria lugar para a liberdade. Natureza e liberdade seriam antinômicas. Essa antinomia, Kant procura resolver no capítulo da *Crítica da razão pura* dedicado às antinomias da razão pura. A pergunta que ele faz é a seguinte: "Mesmo que para todo o efeito no fenômeno se exija uma conexão com a sua causa segundo as leis da causalidade empírica, não é antes possível que ainda assim esta mesma causalidade empírica possa ser um efeito de uma causalidade não empírica, mas sim inteligível, sem com isto interromper no mínimo a sua interconexão com as causas naturais?"[7]

A distinção entre causalidade empírica e causalidade não empírica precisa ser aqui esclarecida. Kant chama de *inteligível* aquilo que num objeto dos sentidos não é propriamente fenômeno, e denomina *causalidade inteligível* a causalidade que diz respeito não à série natural fenomênica mas aquela que se refere à coisa em si mesma. Enquanto *ação*, ela é inteligível; enquanto efeito fenomênico, ela será sensível. Teríamos assim uma *causalidade inteligível* e uma *causalidade sensível.* A postulação dessa causalidade inteligível não contraria em nada as exigências da crítica kantiana. A existência de um conceito empírico da causalidade juntamente com um conceito intelectual não introduz no mundo natural nenhuma entidade misteriosa. Se os objetos da experiência são representações, eles pressupõem um objeto transcendental (coisa-em-si) que lhes seja subjacente. Não há contradição alguma em atribuirmos a este objeto transcendental uma causalidade (inteligível) que, embora produza um efeito a nível fenomênico, não seja ela própria um fenômeno. Esta é a causalidade inteligível atribuída por Kant à coisa-em-si.

Dentre os fenômenos, está o próprio sujeito, na medida em que é considerado parte da natureza empírica e suas ações se interconectam com outros fenômenos de acordo com as leis da natureza. Mas este sujeito pode ser considerado ainda de um ponto de vista inteligível e não sensível. Sob este aspecto, ele seria a causa das ações acima consideradas como fenômenos, sem ser, ele próprio, fenômeno, isto é, sem se subordinar às condições da sensibilidade. Este é o caso da *razão*.

Sem dúvida alguma, o homem é também um fenômeno dentre outros. Pertence à natureza empírica e está sujeito à causalidade natural. Sua forma de conhecer os demais objetos da natureza é através dos sentidos, e, portanto, condicionada. Isto se aplica também ao conhecimento sensível que ele tem de si mesmo. Mas essa apreensão se faz, além disto, em ações e determinações internas que nada tem a ver com a sensibilidade. Neste caso, ele é um objeto puramente inteligível, e a faculdade segundo a qual isto se faz é a razão.[8]

A razão não pertence à série dos fenômenos que obedecem às leis da natureza, embora esteja presente em todas as ações empreendidas pelo homem enquanto ser fenomênico. Ela é a condição incondicionada de toda ação, sobretudo daquelas que se caracterizam como ações de arbítrio. É a razão, enquanto legisladora da faculdade de desejar, que funda a *vontade autônoma*. A vontade é livre, quando determinada apenas pela razão, independentemente das condições sensíveis, e, portanto, da lei natural. "O dever não tem qualquer significado quando se tem diante dos olhos unicamente o curso da natureza."[9] A esta razão legisladora da faculdade de desejar, Kant denomina "razão pura prática", onde o "pura" significa *a priori*.

No entanto, há algo aqui que ainda não ficou claro. Falamos de uma causalidade incondicionada e apontamos a razão como sendo a faculdade pela qual este incondicionado se faz presente, mas não fizemos referência à coisa enquanto incondicionada, isto é, enquanto ente necessário, inteiramente fora do mundo sensível, como um puro inteligível. É na medida em que a *existência* da coisa-em-si é tematizada, portanto, a existência de um ente necessário, incondicionado, *ens extramundanum*, é que a questão ética vai se articular com a questão da natureza divina da lei moral.

Heidegger e a coisa

Se Lacan privilegia o manuscrito de Freud de 1895 no sentido de recuperar para a psicanálise a noção de *das Ding*, é em Kant e Heidegger que ele vai buscar inspiração para uma elaboração maior do conceito. Sobre o conceito kantiano de coisa-em-si (*Ding-an-sich*), creio que as observações acima são suficientes para o nosso propósito, resta dizer algo sobre o das *Ding* heideggeriano.

Em 1954, Heidegger publica um pequeno ensaio cujo título é *Das Ding*. Quatro anos mais tarde, ele é traduzido para o francês e incluído na coletânea *Essais et conférences* da Gallimard. O ensaio não contém nenhuma referência a Freud ou à psicanálise, mesmo porque Heidegger não demonstrava nessa época nenhum interesse por um ou por outro, desinteresse este que persistiu ao longo de sua vida. Sua relação com a psicanálise restringiu-se a alguns encontros com Lacan a partir de 1950, por sugestão de Jean Beaufret, encontros nos quais a troca de ideias era dificultada pelo fato de um não falar a língua do outro. Até então, Heidegger desconhecia inteiramente o trabalho de Jacques Lacan. O contrário no entanto não se dava. Lacan conhecia Heidegger e sua filosofia. Pelo menos já havia lido *Sein und Zeit* e alguns artigos do filósofo alemão,[10] e seu interesse pode ser atestado pelo fato de ter traduzido e publicado no primeiro número da revista *La Psychanalyse* o artigo *Logos* de Heidegger.

O que é uma coisa? Esta é a pergunta que Heidegger coloca para o leitor em seu ensaio *Das Ding*.

Inicialmente, há que se deixar clara a diferença entre coisa (*Ding*) e objeto (*Gegenstand*). "Objeto" é aquilo que se coloca diante de nós; aquilo que enquanto correlato da consciência se distingue do ato pelo qual ele é pensado ou representado. Neste sentido, o objeto não implica uma existência em si. "Objeto" deriva do latim *objectum*, onde a preposição *ob* significa "diante de". Um objeto é, portanto, aquilo que se coloca diante de nós, seja como correlato de uma percepção, de uma lembrança, de uma imaginação ou de um pensamento. Não é da mesma maneira que ele se coloca "diante de" em cada um desses atos, mas é sempre como correlato de cada um desses atos que ele é um objeto. Um objeto *em imagem* não é uma coisa. No caso do pensamento, o objeto se coloca "diante de" como um conceito; no caso da percepção, da memória ou da imaginação, ele se coloca como imagem. Além disso, na percepção essa imagem tem como referente algo existente, o que não precisa ocorrer na imaginação.[11] Há, pois, múltiplas maneiras pelas quais pode se dar a consciência de um objeto, e em nenhuma dessas maneiras o objeto se confunde com a coisa. A não ser para uma consciência ingênua.

A coisa (*Ding*), diferentemente do objeto, caracteriza-se pela sua "posição autônoma",[12] e pode ou não tornar-se um objeto na medida em que se coloque (ou não) diante de nós, seja numa percepção ou numa lembrança. O que faz da coisa uma coisa não é, portanto, o fato de ela ser um objeto representado. A objetividade do objeto não faz dele uma coisa, e não devemos confundir aqui a objetividade do objeto com o ser-em-si. Portanto, o que caracteriza uma coisa é o fato de ela manter-se em si mesma como autônoma. No entanto, embora mantendo-se em si mesma, a coisa é sempre pensada a partir da objetividade. E nem a objetividade do objeto, nem a posição autônoma da coisa, são capazes de nos conduzir à "coisidade" da coisa.

O que pertence à coisa como tal? Um jarro, diz Heidegger, é uma coisa.[13] É um continente constituído pelo fundo e pela parede. O jarro é produzido pelo poteiro com uma matéria-prima que é o barro. Embora o jarro dependa de uma produção para ser um vaso, não é isto que faz do jarro um jarro. Uma vez produzido, o jarro mantém-se por si mesmo. O que faz do jarro um jarro é sua qualidade de continente. Um jarro que não possa conter um líquido, por não ter fundo ou por não ter boca, não é um jarro. Mas quando enchemos um vaso com água, não são o fundo ou a parede que se enchem. Estes, apenas não deixam passar a água. O que se enche de água é o que fica entre o fundo e a parede. O que é continente no jarro é o vazio.

É o vazio – aquilo que no jarro não é nada – que faz com que o jarro seja um jarro, isto é, um continente. Segundo Heidegger, quando o poteiro fabrica o jarro, ele dá forma a um vazio. O que faz do jarro uma coisa não reside na matéria que o constitui, mas no vazio que contém. E como o vazio do jarro contém? Ele contém tomando e retendo o que ele recebe, sendo que a unidade do tomar e do reter, é regida pelo verter. O conter repousa sobre o verter. "O que faz do jarro um jarro desdobra seu ser no verter daquilo que se oferece."[14] Não é pois um vazio em si aquilo que no jarro reúne o conter e o verter, e o verter é aqui tão fundamental quanto o conter.

A análise que Heidegger faz da Coisa não deve nos levar a conclusões apressadas quanto à sua possível articulação com a coisa lacaniana. Enquanto a coisa heideggeriana mantém uma semelhança com o mundo, a coisa lacaniana, concebida como objeto absoluto, permanece mítica.

Freud e a coisa

Dá-se com o *das Ding* freudiano algo análogo à *Recherche* proustiana. Assim como nesta última não se trata de uma busca de um tempo passado, já vivido porém perdido,[15] também na psicanálise não se trata da busca da Coisa um dia já possuída e depois perdida. *Das Ding* é o objeto perdido, embora nunca o tenhamos tido, e que deve ser reencontrado. Nessa procura da Coisa, forma-se a trama das representações (*Vorstellungen*) através dos caminhos da memória, caminhos que foram marcados outrora pela *Bahnung*, pela facilitação.

A investigação freudiana se orienta no sentido dessa *recherche: a la recherche de la chose perdue*. Essa busca é governada pelo princípio de prazer, e como este se exerce sobre as representações, fazendo com que a energia (Q'n) se transfira de representante para representante segundo os caminhos da facilitação, ficamos interminavelmente girando em torno de um centro que nunca é atingido e que Freud chama de *das Ding*. A partir do momento em que a pulsão constitui seu primeiro representante, instaura-se uma proximidade em relação a *das Ding*, mas ao mesmo tempo também uma distância. Essa distância é a mesma para todos os representantes, não havendo um que esteja mais próximo de *das Ding* do que outros. Uma vez constituído o registro das *Vorstellungen*, todas são equidistantes do objeto perdido.

Freud faz usos distintos de dois termos que na língua alemã significam "coisa": *die Sache* e *das Ding*. Assim, enquanto ele nos fala de *Sachevorstellung* (representação-coisa), ele não nos fala de *Dingvorstellung*. Mais ainda, apenas as *Sachevorstellungen* estão ligadas às *Wortvorstellungen* (representações-palavra), e o estão de modo necessário. Isto indica claramente que as coisas (*Sachen*), por constituírem um mundo organizado, mundo dotado de ordem humana, passam primeiro pela palavra, estando submetidas à ordem simbólica que está presente desde o início. *Das Ding*, por sua vez, designa a coisa de modo diverso, como que habitando um outro lugar, para além do universo da linguagem.

Foi nos artigos *O inconsciente* e *O recalque*, ambos de 1915, que Freud opôs "representação-coisa" (*Sachevorstellung*) e "representação-palavra (*Wortvorstellung*). Enquanto as primeiras se dariam no inconsciente, as segundas pertenceriam apenas ao pré-consciente/consciente. Mas no inconsciente, as *Sachevorstellungen* não formariam um mero conjunto aditivo, depósito de representações anárquicas, mas uma articulação significante, verdadeira estrutura do inconsciente, segundo o ponto de vista de Lacan.

Dizer que as *Sachevorstellungen* constituem no inconsciente uma articulação significante, e afirmar simultaneamente que as representações-palavra (*Wortvorstellungen*) pertencem apenas ao pré-consciente/consciente, nos obriga a fazer uma distinção que, se já não está explícita em Freud, já era feita no tempo em que ele escreveu os artigos da metapsicologia e já estava implícita em sua *Traumdeutung*: trata-se da distinção entre a *linguagem como função* e a *linguagem como estrutura*.[16] Enquanto a primeira diz respeito ao exercício da função simbólica, que se dá no nível do pré-consciente/consciente, a segunda refere-se à linguagem como estrutura-estruturante da rede de significantes, no nível do inconsciente. O fato, portanto, de só termos no inconsciente as *Sachevorstellungen* não significa que elas não possam estar articuladas como significantes, já que a linguagem está presente desde o início em sua função estruturante.

É em termos de *Vorstellung* que a coisa-*Sache* vai se constituir. E o que são essas representações dentro da concepção freudiana do aparato psíquico? O termo *Vorstellung*, Freud o recolhe da tradição filosófica alemã que remonta a Leibniz e cujo sentido, em termos de uma teoria do conhecimento, remete-nos a Aristóteles.[17] Já assinalei num texto anterior[18] o quanto a palavra "representação" traduz de forma imprópria o alemão *Vorstellung*. Isto, porque aquilo que Freud tem em mente ao empregar o termo *Vorstellung* são os representantes ideativos da pulsão e não os representantes em geral. De qualquer forma, a *Vorstellung* é entendida por Freud como a forma ideativa da presentificação da pulsão no aparato psíquico.

Mesmo que adotemos o termo "representação" para traduzir *Vorstellung*, o que temos que levar em conta é que Freud confere à sua *Vorstellung* um sentido próprio, distinto daquele que o termo adquiriu na filosofia. Para ele, a *Vorstellung* diz respeito ao elemento imaginário do objeto, a uma composição imaginária que forma o que Lacan chamou de "substância da aparência", entendendo-se "substância" como a decepção fundamental com que é marcada toda *Erscheinung*, toda aparição. A *Vorstellung* é o que se constitui ao redor da coisa (*Ding*) como aparição, como fantasma. O mundo da *Vorstellung* (ou como prefere Freud: da *Vorstellungsrepraesentanz*) se organiza numa ordem combinatória que é a das "possibilidades do significante como tal",[19] o que, no nível do inconsciente, nos remete às leis da condensação e do deslocamento.

No entanto, essas representações não teriam nenhuma realidade para a consciência se não fossem mediadas pelo discurso. São as palavras que possibilitam a articulação das representações com o pré-consciente. É em função dessa articulação entre *Sache* e *Wort*, entre a *Sachevorstellung* e a *Wortvorstellung*, que Lacan se aventura a dizer que *Die Sache ist das Wort des Dinges*, que *die Sache* é a palavra da coisa.[20]

A coisa-*Ding* é muda. Ela tem algo a ver com a palavra, mas enquanto *Ding*, mantém-se a-significativa. É sugestivo que Kant, ao nos falar da coisa-em-si, utilize o termo *Ding-an-sich*, e não *Sache-an-sich*. Se podemos nos beneficiar aqui da terminologia husserliana, a analogia a ser feita seria de *das Ding* com a coisa e *die Sache* com o *noema*. Visamos a coisa, mas aquilo que atingimos é o *noema*.

Assim é que o princípio de realidade não diz respeito ao mundo exterior enquanto tal, mas aos signos que o indicam. Além disso, o princípio de realidade atua no nível do processo secundário, regulando o que Freud denominou *Not des Lebens*, necessidades vitais; não propriamente as necessidades de que nos fala a biologia, mas, como assinala Lacan, algo mais forte, algo que se refere não às necessidades, mas à necessidade, ao estado de urgência da vida.

O funcionamento do princípio de realidade dá-se no nível do processo secundário e não do processo primário, e diz respeito à quantidade de energia conservada e suportada pelo organismo para executar as respostas necessárias à conservação da vida.[21] Mas o mundo ao qual ele nos remete e que é a fonte de nossa sobrevivência, não é o mundo ordenado do qual temos consciência. Aquilo que o aparato psíquico nos fornece, seja no nível pré-consciente/consciente, seja no nível inconsciente, são signos, ou, mais precisamente, *significantes*, que, em última instância, estão submetidos à função estruturante da linguagem. Portanto, se esse aparato psíquico (pelo menos aquele que Freud elabora a partir do capítulo VII da *Traumdeutung*) orienta nossos encontros com os objetos, esses objetos são *Sache* e não *Ding*.

O que podemos dizer é que o aparato psíquico, tendo como referência a experiência de satisfação (*Befriedigungserlebnis*), produz uma *ação específica* cujo objetivo é reproduzir essa experiência, isto é, reencontrar *das Ding*, mas o que ele reencontra é inevitavelmente *die Sache*. Ou ainda, que o aparato psíquico, tal como foi concebido a partir da *Traumdeutung*, opera a relação com o mundo da coisa-*Sache*, enquanto que o aparato neuronal do *Projeto* de 1895, por não levar em conta os significantes, foi concebido para explicar a relação com o mundo da coisa-*Ding*.

O que Freud nos diz, de uma maneira que lhe é própria, é que na relação mãe-filho a mãe (a coisa-mãe) ocupa o lugar de *das Ding*. Não que ela seja *das Ding*, mas que ela ocupa o lugar de *das Ding* na medida em que *das Ding* é o centro em torno do qual gravitam as *Sachevorstellungen*. Desejar a mãe é, portanto, desejar *das Ding*. Sabemos, porém, que essa coisa-*Ding*-mãe não é atingível enquanto tal, mas apenas enquanto *Sache*. A mãe-*Ding* é interditada pela cultura e é esse interdito que nos constitui como humanos (e que constitui a própria cultura). Em termos psicanalíticos, podemos dizer que na medida em que o desejo de possuir *das Ding* fosse satisfeito, cessaria toda demanda, e é precisamente essa demanda que funda o inconsciente humano. Possuir *das Ding*, isto é, cometer o incesto, nos remeteria ao registro do natural, já que é a interdição do incesto que funda o humano. Assim, a função do princípio de prazer não é a de tornar possível a satisfação relativa de *das Ding*, mas precisamente impedir que isto ocorra. Em outras palavras, a função do princípio de prazer é manter irredutível a distância entre *das Ding* e *die Sache*.

Das Ding não pertence, portanto, ao espaço da representação, não habita aquilo que Freud designou de aparato psíquico, mas nem por isso deixa de "fazer presença" embora esteja ausente. Algo no nível das *Vorstellungen* (ou dos significantes), sinaliza a coisa. Esse algo não é *uma* coisa, nem tampouco a própria Coisa disfarçada, travestida de objeto, mas um vazio que não pode ser preenchido adequadamente por objeto algum. É o que Lacan denomina "objeto *a*". Este, não é *das Ding* mas o índice ou testemunha de *das Ding* como objeto perdido. Esse índice não é também *um* objeto específico, mas como foi dito acima, ele é um vazio ou um furo.

Pode parecer estranho que se nomeie um furo de "objeto" – objeto *a* – mas o que pretende Lacan é precisamente assinalar que esse "objeto" está ausente, e, mais ainda, que ele está ausente para sempre. O objeto *a* não é sequer o objeto do desejo, mas sim o "objeto causa do desejo".[22] O objeto do desejo é a fantasia. A função do objeto *a*, causa do desejo, é ser produtor da falta, e sua relação com a pulsão é a de ser contornado por ela.

É neste ponto que Lacan retoma o conceito de sublimação. Se *das Ding* é o centro em torno do qual gravitam as *Sachevorstellungen*, sem que no entanto esse centro seja jamais atingido, isto se dá porque enquanto centro visado ele é sempre contornado. Aquilo que aponta para *das Ding* mas que ao mesmo tempo a contorna, é a pulsão. No nível de *das Ding*, temos as pulsões, e estas, nos diz Freud, são desde o início inibidas quanto ao seu alvo. É esse desvio quanto ao alvo (a satisfação) que Freud aponta como sendo o mecanismo central do processo de sublimação. A sublimação é uma forma de satisfação da pulsão, satisfação que é obtida por um desvio de seu alvo inicial, de modo que ela seja obtida num outro lugar. Isto implicaria, segundo Freud, numa dessexualização da libido; afirmação um tanto perturbadora que requer uma explicação a ser dada adiante.

A relação que Lacan estabelece entre a sublimação e a Coisa é aquela que coloca o homem numa função de *medium* entre o real e o significante. Todas as coisas criadas pelo homem e que são do registro da sublimação são de algum modo representadas por um vazio porque não podem ser representadas por outra coisa, "ou mais exatamente, porque só podem ser representadas por outra coisa".[23]

O Projeto de 1895

Não pense que com isto estamos nos afastando de Freud. Na verdade, estamos retomando algumas de suas afirmações mais iniciais, constantes do *Projeto* de 1895. É nesse texto, anterior à formulação do conceito de inconsciente e à concepção do aparato psíquico da *Traumdeutung*, que vamos encontrar as referências de Freud a *das Ding*. Em três momentos do *Projeto*, Freud faz uma clara referência a uma divisão dos complexos perceptivos num componente não assimilável (*Ding*) e num componente conhecido do eu através de sua própria experiência.[24] Se remontarmos a um texto ainda mais antigo, sua monografia sobre a afasia, datado de 1891, vamos novamente encontrar uma referência preciosa à ilusão das representações-objeto (*Sachevorstellungen*) de serem uma "coisa" (*Ding*).

Nos textos acima citados, o que fica claro é a afirmação de que no nível das *Vorstellungen* algo permanece de não assimilável, de excluído da organização psíquica, ou, melhor ainda, de um "interior excluído" em torno do qual a organização psíquica se faz. E Lacan pergunta sobre esse "interior": "Interior de quê?" Não se trata do interior do aparato psíquico, posto que não há ainda, nesse momento, algo que possa ser considerado como um aparato. As *Vorstellungen* não formam ainda uma organização no sentido de algo constituído de partes formando um todo. O que ele aponta como sendo esse "interior" é o *Real-Ich*, "o real derradeiro da organização psíquica".[25] O lugar da exclusão é, pois, o *Real-Ich*, e *das Ding* é o que é excluído desse real psíquico e não o próprio real psíquico.

A noção de *Real-Ich* (Eu-realidade) faz seu aparecimento nos textos freudianos somente em 1911, em *Formulações sobre os dois princípios do funcionamento psíquico*, para ser tratada mais extensamente em *Pulsões e destinos das pulsões* (1915) e retomada em 1925 no pequeno artigo *A denegação*.

O *Real-Ich* é um estado originário do psiquismo no qual ainda não há distinção entre o eu e o mundo exterior, e tampouco a oposição prazer-desprazer, pois o eu satisfaz as pulsões em si mesmo (autoeroticamente). Nesse estado, o mundo exterior não é nem prazeroso nem desprazeroso, ele é indiferente, isto é, não existe como algo diferenciado para o sujeito. O *Real-Ich* aprende a distinguir um "interior" de um "exterior" através da ação muscular: há estímulos dos quais ele consegue fugir e estímulos em relação aos quais a fuga é inútil. Estes últimos são a marca do mundo interior, em oposição aos primeiros que passam a ser indicadores da realidade externa. A partir de então, o *Real-Ich* inicial transforma-se em *Lust-Ich* (eu-prazer) que coloca o prazer acima de tudo. Antes do *Real-Ich* distinguir o interno do externo, e do concomitante surgimento do *Lust-Ich*, não há propriamente organização psíquica. Daí Lacan dizer que é a partir do *Lust-Ich* que se manifestam os primeiros esboços de organização psíquica, isto é, "desse organismo psi, que a continuação vai-nos mostrar ser dominado pela função das *Vorsteluengsrepräesentanzen*".[26]

Das Ding não habita, portanto, o interior ou o centro do *Real-Ich*, não ocupa o lugar central no mundo da representação inconsciente. O que temos nesse lugar é um buraco, um vazio, que é o índice de que "na realidade ele (*das Ding*) deve ser estabelecido como exterior".[27]

7. A realidade e o princípio de realidade

A função do filósofo

Sobre o filósofo sempre recaiu a acusação de inverter a ordem natural das coisas. Assim, o que para nós é o real, para ele é o ilusório; o que admitimos como certeza, ele denuncia como desconhecimento. O filósofo é, acima de tudo, aquele que denuncia e desfaz nossas ilusões.

Desde os seus primórdios a filosofia distinguiu duas ordens de seres: a ordem do *real* e a ordem do *imaginário*; isto é, a coisa mesma em sua natureza essencial e suas imagens. E durante muito tempo, a ordem do imaginário foi concebida como *representação* do real, sendo a *semelhança* o critério dessa representação.

Para Platão, o real eram as Ideias (*eide*), concebidas como indivisíveis e eternas, e em relação às quais, as coisas sensíveis (*aistheta*) eram cópias.[1] O mundo dos modelos (*Topos noetos*) ou das Ideias possuía uma existência externa e independente do mundo das coisas sensíveis. A cada classe de coisa sensível correspondia um *eidos*, uma Ideia.

A relação entre os *eide* e as coisas sensíveis não era apenas ontológica mas também epistemológica. Se as coisas sensíveis se caracterizavam por sua mutação constante, não podiam dar lugar a um conhecimento verdadeiro mas apenas a opiniões (*doxa*) que refletiam o ponto de vista do sujeito. O verdadeiro conhecimento (*episteme*) era o conhecimento das ideias. Estas não eram portanto apenas a causa ontológica do mundo sensível, mas também a causa do conhecimento e fundamento de todo discurso verdadeiro.

Mas nem tudo no mundo sensível é cópia de um modelo. Melhor dizendo: todas as coisas se apresentam aos nossos olhos como cópias, mas nem todos esses pretendentes a cópias são legítimos. Há cópias legítimas e cópias ilegítimas. Poderíamos dizer que enquanto as cópias legítimas são feitas à imagem e semelhança do modelo, as cópias ilegítimas são feitas apenas à imagem mas não à semelhança. Estas últimas são os simulacros. A grande tarefa da filosofia platônica consistia, pois, em distinguir as cópias dos simulacros.

Isso quer dizer que o mundo que se apresenta ao nosso olhar não é o real, e sim um mundo composto de cópias legítimas e ilegítimas, mas, de qualquer maneira, um mundo de cópias, um mundo de aparências. O real, enquanto tal, jamais é *dado*, ele será sempre suposto e, portanto, objeto apenas do pensamento e não da percepção. Caberá à filosofia construir suas teorias sobre o real e sobre a articulação deste com o imaginário.

O real e sua sombra

O real e sua sombra. Em torno disto construiu-se grande parte do pensamento ocidental. Em torno disto construiu-se a metafísica.

Ao recusar ao mundo da nossa experiência uma inteligibilidade própria, Platão não lhe recusa porém uma realidade. Esse mundo não é o real, mas possui uma realidade que diríamos secundária, posto que participa do real. A questão principal do platonismo desloca-se pois da relação entre o modelo e as cópias para a da distinção entre as cópias e os simulacros.[2]

Ao sofrer esse deslocamento de ênfase, a filosofia condena o real a um *além*. Já em Platão o real é o impensável, o inatingível pelo discurso,[3] aquilo que fica além da ciência, podendo ser objeto apenas de uma intuição noética. Mais de vinte séculos depois, voltamos a encontrar o real, com Kant, identificado com a coisa-em-si, com o que está para além da pensabilidade científica.

Isto não é um defeito do pensamento filosófico, mas o que constitui seu campo próprio. Todo saber tem seu além, ou melhor, cada saber *constrói* o seu além. Assim como a religião nos fala de um além, a física e a psicanálise também nos remetem a um além, isto é, nos remetem para aquilo que está fora do seu universo discursivo mas que ao mesmo tempo é condição essencial para esse universo. Não há universo sem um além. Isto, na medida em que cada universo define seus próprios limites, e esse além é o lugar do silêncio de cada universo discursivo. Nada nos impede de pensar esse além como a morte, na medida em que a morte é nomeável mas aquilo sobre o qual nada temos a dizer. Esse além ou essa morte não são portanto o lugar do nada, do vazio do ser, mas do silêncio do discurso. O que aí se nadifica não é o ser mas a palavra.

Mas se é esse ser que sustenta o discurso, é do lugar do discurso que ele é pensado e nomeado. É do lugar do discurso que o real é constituído. Da mesma forma, se é o real que sustenta o imaginário, é a partir das ilusões e das fascinações do imaginário que postulamos um real.

O real para a psicanálise

O que é, então, o real para a psicanálise? Sem dúvida, é aquilo que se encontra para além do simbólico e do imaginário, para além da palavra e da linguagem. Ele não se identifica com a realidade percebida, nem com o que Freud denominou *realidade psíquica*. Esta última não deve ser confundida com a realidade externa, pois designa a *realidade do inconsciente*, do desejo e de suas fantasias, objeto por excelência da investigação psicanalítica. À diferença dessa realidade psíquica, temos a *realidade exterior*, que é identificada por Freud ao mundo material enquanto percebido pelo sujeito e apresentando uma certa ordem e relativa perenidade. Enquanto a realidade exterior está organizada a partir da linguagem e tem como referência o sujeito, o real é pré-subjetivo e constitui um registro distinto do simbólico. O real não obedece à organização do mundo externo nem à organização da realidade psíquica. Ele situa-se aquém ou além da ordem e da lei, fora do campo do princípio de prazer. Ele, de fato, coloca-se como um obstáculo ao princípio de prazer.

Aquilo que Freud designa "realidade" (*Wirklichkeit*) não é a realidade entendida como correlato da consciência, o mundo tal como é percebido por nós na experiência imediata, e nem tampouco a realidade descoberta ou produzida pela ciência. Não se trata também da realidade que nos é imposta enquanto exigências sociais.

Num primeiro momento, Freud tomou o termo "realidade" para designar a realidade psíquica,[4] guardando o termo "realidade externa" para designar o mundo enquanto percebido por nós na experiência imediata. É dessa realidade que ele nos fala no início de sua construção teórica, quando opõe princípio de prazer e princípio de realidade[5] e quando nos oferece o primeiro modelo de aparelho psíquico.

Princípio de prazer e princípio de realidade

A noção de aparelho psíquico apresentada por Freud no *Projeto* é uma construção teórica cuja finalidade é explicar o funcionamento normal do psiquismo humano. Esse aparelho é concebido como um aparelho neuronal pelo qual circula uma quantidade (Q'n) de energia e que é regido por um princípio: o princípio de prazer, concebido inicialmente como um princípio de inércia. A estrutura neuronal é composta de dois sistemas distintos: o sistema *phi* de neurônios e o sistema *psi* de neurônios. Enquanto o primeiro é formado de neurônios permeáveis, neurônios que conduzem mas não retêm energia, o segundo é formado de neurônios dotados de algum grau de impermeabilidade, o que lhes permite reter energia e constituir uma memória. Os neurônios *phi* recebem energia de fonte exógena, enquanto que os neurônios *psi* recebem energia de fonte endógena, além de serem estimulados também indiretamente de fonte exógena através dos neurônios *phi*.[6] Ocorre porém que nem os neurônios *phi* nem os neurônios *psi* têm acesso à realidade externa, não são capazes de percepção e consciência. O princípio de prazer regula o equilíbrio interno do aparelho mas não pode ter uma finalidade adaptativa, já que não dispõe de um sistema percepção-consciência, e, portanto, não é capaz de distinguir o objeto real do objeto alucinado. Um aparelho constituído dessa forma conduz necessariamente ao engodo. Faz-se necessário, por isso, um princípio de correção que confira ao aparelho uma eficiência mínima necessária. Esta é a função do princípio de realidade.

Para fazer funcionar o princípio de realidade, Freud tem que conceber um terceiro sistema de neurônios – os neurônios *ômega* – responsáveis pela percepção-consciência e que têm a função de fornecer aos neurônios *psi* uma indicação de realidade. O que os neurônios *ômega* fornecem é uma *Realitätszeichen*, isto é, um *signo* da realidade e não a realidade ela própria.

Mas eis que o princípio de realidade se exerce de forma paradoxal, pois seu ponto de partida são as informações enviadas pelo sistema *ômega* de neurônios, responsáveis pela percepção. No entanto, o que Freud também nos diz é que o princípio de prazer se exerce precisamente sobre a percepção, que o processo primário visa uma identidade perceptiva. Se assim é, como será possível distinguir quando essa identidade perceptiva se faz de forma alucinatória ou real? É o que Lacan aponta como sendo o *paradoxo do princípio de realidade*. A característica fundamental do aparelho psíquico é que ele é feito não para satisfazer a necessidade, mas para aluciná-la. O princípio de realidade, enquanto princípio de correção, não corrige o mundo interno em relação ao mundo externo, mas corrige o mundo interno em relação a ele próprio.[7]

Tendo como referência a *experiência de satisfação* (*Befriedigungserlebnis*), o aparelho psíquico produz uma ação específica cujo objetivo é reproduzir essa experiência, isto é, reencontrar o objeto que originalmente produziu a satisfação. Esse funcionamento do princípio de realidade dá-se no nível do processo secundário e não do processo primário, e diz respeito à quantidade de energia Q'n conservada e suportada pelo aparelho para executar uma ação específica. Esta se faz segundo aquilo que Freud chamou de *Babnung*, termo que é geralmente traduzido por "facilitação". Se a tradução não está inteiramente incorreta, ela oculta porém o principal da *Bahnung*: o fato de designar uma articulação entre neurônios, articulação esta que Lacan apontou como podendo ser aproximada da sua *cadeia significante*.[8]

A *Bahnung*, que seria melhor traduzida por "trilhagem", forma-se a partir das *barreiras de contato*, que são resistências nos contatos entre os neurônios. Para que a função secundária se exerça, é necessário que haja uma resistência oposta à descarga. Esta resistência se fará no sentido de permitir a articulação de determinadas vias neuronais e não de outras. Essas facilitações/resistências são que tornarão possível uma memória neurônica, e, portanto, o reencontro do objeto.

O que podemos dizer desde já é que o princípio de realidade não diz respeito ao mundo exterior enquanto tal mas aos signos que o indicam. Mais ainda, o princípio de realidade atua no nível do processo secundário regulando o que Freud denominou *Not des Lebens* – necessidades vitais –; não propriamente as necessidades de que nos fala a biologia, mas, como assinala Lacan, algo mais forte, algo que se refere não às necessidades mas *à necessidade*, ao estado de urgência da vida. Aquilo que o aparelho psíquico nos fornece, seja no nível inconsciente, seja no nível pré-consciente/consciente, são signos que, em última instância, estão submetidos à função estruturante da linguagem.

O que temos aqui, portanto, é a concepção de um aparelho psíquico – o do *Projeto de 1895* –, cuja finalidade não é nem pode ser adaptativa. Não se trata de um aparelho que, "adicionado" ao organismo como um todo, lhe confira maior eficácia na sua adaptação ao mundo externo. Ao contrário, por se constituir como mediador entre o corpo e o mundo dos objetos, e por se estruturar segundo princípios que são mais acordes com a linguagem, este aparelho acaba por isolar o indivíduo da realidade.

Afirmar que o princípio de realidade isola o sujeito da realidade é afirmar um paradoxo. Mas este paradoxo só existe do ponto de vista da biologia. Ou ainda, este paradoxo só é um paradoxo se lemos o *Projeto de 1895* como um texto de fisiologia nervosa. Mas se admitimos a possibilidade de lê-lo de tal modo que as cadeias de neurônios formadas pelas *Bahnungen* possam ser aproximadas a cadeias significantes, como o faz Lacan, então o paradoxo deixa de ser um paradoxo, posto que a "realidade" em questão deixa de ser uma realidade externa e passa a ser a realidade psíquica. Isto não quer dizer que a realidade externa deva ser desprezada ou considerada inexistente. Não se trata de afirmar uma posição idealista. Trata-se, isto sim, de repensar essa realidade externa de um ponto de vista psicanalítico.

O signo de realidade

O aparelho psíquico é portador de signos dessa realidade externa – *Qualitätszeichen*, nos diz Freud –, e sabemos que os signos são enganosos. O engano é pois inerente à relação que mantemos com a realidade externa. Não se trata de eliminá-lo, isto é impossível, mas de proceder a retificações sucessivas de modo a possibilitar um mínimo de satisfação a essa *Not des Lebens* a que fizemos referência acima.

Uma primeira tentativa que Freud fez para resolver o problema da *Realitätszeichen*, do signo de realidade, deu-se ainda na primeira parte do *Projeto*, e a noção de *Bahnung* desempenhou um papel de extrema importância.

Partindo da ideia de *ligação* (*Bindung*) e da hipótese das *barreiras de contato*, Freud afirma[9] que na trama anárquica dos neurônios surge uma organização: um grupo de neurônios constantemente investido, que ele chama de *ego*. O ego é concebido como uma organização neuronal interna ao sistema *psi* ou mais precisamente "como a totalidade dos respectivos investimentos *psi*, em que um componente permanente se separa de um variável",[10] num determinado momento, e que ele diz corresponder ao "veículo de reserva" requerido pela função secundária. Esse ego em *psi* tende a se livrar de seus investimentos pelo método da satisfação, o que é possível na medida em que ele interfira nas passagens de Q'n, que da primeira vez foram acompanhadas de prazer ou de dor, inibindo o reinvestimento da imagem mnêmica hostil ou mesmo da imagem mnêmica de satisfação, já que esta última não pode dar lugar à satisfação por se tratar não de uma percepção do objeto, mas apenas da lembrança do objeto. Essa inibição pelo ego ocorre quando um *investimento colateral* impede o livre curso da Q'n.

Esquematicamente, o que ocorre é o seguinte: quando se dá a experiência primária de satisfação, três coisas acontecem no interior do sistema *psi* de neurônios: 1. É operada uma descarga duradoura; 2. Produz-se o investimento de um grupo de neurônios que corresponde à percepção de um objeto (aquele que produziu a satisfação); 3. A outros pontos do sistema *psi pallium*, chegam informações sobre a descarga que se segue à ação específica.

A partir daí, estabelece-se uma facilitação (*Bahnung*) entre esses investimentos e os neurônios do *psi núcleo*.[11] A satisfação está, a partir de então, ligada tanto à imagem do objeto como à imagem do movimento de descarga. Quando reaparece o estado de urgência, ambas as imagens são reinvestidas ou reativadas. Ora, aquilo que essa reativação vai produzir é algo idêntico à percepção original do objeto, sua imagem, só que o objeto está agora ausente. O que vai ser produzido, portanto, não é a percepção do objeto, mas a alucinação do objeto, seguindo-se a ela a descarga reflexa. O resultado evidente é o desapontamento e o desprazer. Daí a necessidade de se distinguir entre percepção e representação.

Quando a imagem do objeto é fortemente reinvestida a ponto de ser reativada alucinatoriamente, também se produz a mesma indicação de descarga que no caso da percepção do objeto externo.[12] A tese de Freud é que isto ocorrerá a menos que uma inibição por parte do ego impeça que se produza um signo de qualidade (*Qualitätszeichen*). E este é o ponto central de sua tese. Os *Qualitätszeichen*, quando provenientes do exterior, produzem-se sempre, independentemente da intensidade do investimento, mas quando provenientes do interior do sistema *psi*, eles somente ocorrem se a intensidade do investimento for elevada. Daí a importância da inibição por parte do ego em *psi* para que possa haver uma diferenciação entre percepção e lembrança. É o investimento moderado do objeto, por efeito da inibição por parte do ego, que permite reconhecer este objeto como não sendo real. Se essa inibição não ocorresse, a intensidade do investimento seria semelhante à produzida pelo objeto externo, e a distinção seria impossível.

É claro que o problema não fica inteiramente resolvido. Para que se dê uma inibição por parte do ego em *psi*, é necessário que ele receba alguma indicação de realidade. Esta indicação não pode surgir do próprio ego, já que o sistema *psi* de neurônios não tem acesso à realidade externa. A informação só pode provir do sistema *ômega*. Como já vimos que o sistema *ômega* funciona com base na percepção, caímos, aparentemente, num círculo vicioso. Freud contudo não admite que o processo de subjetivação seja de tal ordem que torne impossível um critério de discernimento entre a experiência perceptiva e a experiência alucinatória, e nos oferece três exemplos de experiências nas quais estão presentes simultaneamente a representação-lembrança decorrente do investimento de desejo e a representação-percepção decorrente do objeto externo:[13] 1. A representação-lembrança e a representação-percepção coincidem inteiramente; 2. A representação-percepção coincide apenas parcialmente com a representação-lembrança; 3. A representação-lembrança e a representação-percepção não coincidem em nada.[14] Vejamos o que ocorre em cada uma dessas situações.

No primeiro caso, temos uma representação-lembrança produzida pelo investimento de desejo que coincide com a representação-percepção decorrente do objeto externo. Levando-se em conta que estes investimentos nunca se fazem sobre neurônios isolados mas sobre complexos de neurônios, podemos representar simplificadamente este primeiro caso dizendo que a representação-lembrança relaciona-se ao neurônio *a* + o neurônio *b*, da mesma forma que a representação-percepção. Os dois investimentos coincidem, e é por uma indicação de realidade proveniente dos neurônios *ômega* que a descarga eficaz pode ocorrer.

No segundo caso, temos uma representação-percepção que coincide apenas parcialmente com a representação-lembrança. Enquanto esta última relaciona-se ao neurônio *a* + o neurônio *b*, a primeira relaciona-se ao neurônio *a* + o neurônio *c*. Se compararmos este complexo-percepção com outros complexos-percepção, podemos decompô-lo em dois componentes: o neurônio *a*, que permanece idêntico, e o neurônio *b*, que é variável. Freud afirma que, posteriormente, a linguagem criará para esta decomposição o termo *juízo* (que em alemão é *Urteil*, que também significa "parte primordial"), e nomeará o neurônio *a* de *a coisa* (*das Ding*), e o neurônio *b* de sua atividade ou atributo, seu predicado, em suma.

No terceiro caso, temos uma representação-percepção que não coincide em nada com a representação-lembrança investida. Neste caso, surge um interesse em discernir essa representação-percepção, no sentido de descobrir um caminho que conduza, a partir dela, à representação-lembrança. Suponhamos que o neurônio *a* coincida nos dois investimentos, mas que em lugar do neurônio *b* seja percebido o neurônio *c*. O que acontece é que Q'n segue as conexões deste neurônio *c*, sendo possível que ao longo dessas conexões encontre o caminho para o neurônio *b* ausente, dando-se então a identidade procurada e a consequente descarga. Se não for absolutamente nova, essa representação-percepção evocará uma outra com a qual coincida, pelo menos em parte, e então repete-se o processo descrito acima. Essa atividade de rastreamento de Q'n é que dá lugar ao processo de pensamento e, particularmente, à atividade judicativa que Freud retomará no artigo *A denegação*.

O complexo do próximo

O que é nomeado aqui pela primeira vez, e que ocupará um lugar de destaque, mais de meio século depois, nos seminários de Jacques Lacan, é *das Ding* – a Coisa.

Embora na passagem anteriormente citada Freud já tenha feito uma breve referência a ela, é ao descrever a relação que o recém-nascido mantém com o próximo – a experiência do

Nebenmensch – que *a coisa* é anunciada mais claramente. Trata-se ainda da questão discutida anteriormente e que teve como ponto de partida o princípio de realidade, portanto, a questão da discriminação entre representações.

A situação que Freud analisa é a de um recém-nascido cujo objeto de percepção é um outro ser humano – um próximo (*Nebenmensch*). Ora, foi um objeto semelhante a este que se constituiu como primeiro objeto de satisfação para o recém-nascido, daí revestir-se de interesse privilegiado. Mas o objeto original era apenas semelhante e não igual a este agora. A representação-percepção atual apresentará traços novos e incomparáveis – por exemplo, os traços faciais – e outros que poderão coincidir com a representação-lembrança cuja origem é o próprio sujeito – por exemplo, movimentos de mãos e braços experimentados por ele próprio. Suponhamos ainda que esse próximo dê um grito. A percepção desse grito pode se associar à lembrança do grito do próprio recém-nascido e, portanto, de uma experiência de dor. O que Freud vai nos dizer é que esse *complexo do próximo* se divide em dois componentes, dos quais um permanece coeso como *coisa* (*Ding*), enquanto o outro pode ser remetido ao próprio corpo através do rastreamento da Q'n.[15] Na Parte III do *Projeto*, Freud desenvolve mais extensamente a questão da *coisa* (*Ding*), referindo-se à função judicativa, questão esta que será retomada, trinta anos mais tarde, no artigo *A denegação* (*die Verneinung*).

A prova de realidade

A filosofia distingue o *juízo de atribuição* do *juízo de existência*. Enquanto o primeiro afirma ou nega a posse de algo, o segundo afirma ou nega a existência na realidade de algo que se refere a uma representação. Se tomarmos como referência a questão da *denegação*, exposta por Freud em seu artigo de 1925, podemos aplicá-la a ambas as formas de juízo, e teríamos assim uma negação do juízo atributivo e uma negação do juízo de existência.

O que Freud nos mostra é que por detrás do juízo de atribuição, há os mecanismos de *introjeção* e de *expulsão*, enquanto que por detrás do juízo de existência o que há é a relação entre a representação-lembrança e a representação-percepção. Nos mecanismos de introjeção e de expulsão, antecedentes do juízo de atribuição trata-se de distinguir o que é mau (e então expulso) e o que é bom (e então introjetado), sendo que o princípio que regula estes mecanismos é o princípio de prazer.

No juízo de existência, a questão é outra. O que Freud nos mostra é que o sujeito reproduz sua representação de coisas a partir da percepção primitiva que teve delas. Portanto, como salienta J. Hyppolite no comentário que faz desse artigo,[16] quando agora o sujeito diz que tal coisa existe, a questão não é a de se essa representação corresponde a algo que tenha existência real fora dele, mas se o sujeito poderá ou não tornar a encontrá-la. A "prova de realidade" funda-se unicamente na possibilidade de voltar a encontrar o objeto. O que está em jogo aqui, diretamente, não é o princípio de prazer, mas o princípio de realidade.

Essa procura tem um duplo efeito: 1. O objeto encontrado (ou reencontrado); 2. O objeto faltoso. Este, por mais que o procuremos, não o encontramos. Na verdade, o objeto procurado não é aquele que encontramos. O que encontramos é um efeito ilusório de nossa procura. A função do objeto encontrado é preencher o vazio do objeto procurado, sem jamais consegui-lo. Enquanto presença ilusória, ele não possibilita a satisfação plena. Esse é o objeto do desejo. *Das Ding* é o objeto da pulsão.

8. O INCONSCIENTE E A *VORSTELLUNG*

Como falar hoje em dia do inconsciente psicanalítico, depois da releitura lacaniana e dos incontáveis trabalhos dos comentaristas, sem incorrer numa repetição monótona do já dito? Não se trata de achar que toda exposição sobre o tema tenha que apresentar algo inédito ou o *dernier cri* da comunidade psicanalítica, mas espera-se que algo seja dito sem que se recaia na pura repetição numérica. No entanto, dificilmente podemos evitar a repetição, mesmo porque a apresentação e a análise do conceito de inconsciente implicam a retomada de certas questões que, apesar do tratamento que tiveram por parte dos comentaristas, continuam provocando a inteligência do leitor dos textos freudianos.

A transformação sofrida pelo conceito de inconsciente

O inconsciente tal como foi historicamente introduzido por Freud em 1900 não é o mesmo pensado hoje, após as contribuições da linguística e da etnologia e, sobretudo, após a releitura que Jacques Lacan fez da obra de Freud. Mesmo em Freud, a noção de inconsciente sofre uma transformação desde sua emergência no capítulo VII da *Traumdeutung* até os textos finais da chamada segunda tópica. Se na primeira tópica Freud, está preocupado em fixar o sentido tópico do inconsciente definindo-o como um *sistema* psíquico, marcando a diferença em relação ao uso descritivo que se fazia do termo antes dele, a partir de 1920 o termo *inconsciente* volta a ser empregado, pelo próprio Freud, de forma adjetiva. Isto porque, no quadro da concepção do aparelho psíquico, não havia lugar para um sistema diferenciado que seria o inconsciente, já que o termo poderia ser aplicado tanto para designar adjetivamente o Id como o Eu e o Supereu.

Transpondo os termos da primeira para a segunda tópica, o que melhor corresponderia ao inconsciente da primeira tópica seria o Id. Tal transposição é, no entanto, evidentemente inadequada. A razão da inadequação decorre do fato de o inconsciente ser estruturado, enquanto que o Id é concebido por Freud como um estado de dispersão de representações.

De qualquer forma, cabe salientar que Freud não concebeu a segunda tópica em substituição à primeira, de modo que os conceitos de Id, Eu e Supereu não recobrem os conceitos de Inconsciente, Consciente e Pré-consciente, e tampouco foram concebidos como substitutos destes últimos. A segunda tópica mantém integralmente os conceitos elaborados na primeira.

O inconsciente é estruturado como uma linguagem

A releitura que Lacan faz de Freud impõe formação na maneira de se pensar o inconsciente. Para ele, "o inconsciente é estruturado como uma linguagem". O que isto significa?

Em primeiro lugar, significa que o inconsciente é *estruturado*, isto é, que ele não é o caos, o impensável, o lugar do mistério. Creio que no que se refere a este aspecto, não há diferença entre as concepções de Freud e de Lacan. Mas este último diz ainda que o inconsciente é estruturado como *uma linguagem*. O inconsciente *pensa*, diria Freud, ao que Lacan acrescenta: e esses pensamentos se formam, originalmente, a partir de uma rede de oposições significantes.

Lacan ilustra sua tese com a noção de *função classificatória primária*, retirada do *Pensamento selvagem* de Lévi-Strauss. Aquilo que Lévi-Strauss chama de "pensamento selvagem" e que Comte chamaria de "pensamento espontâneo" não é o pensamento dos selvagens, mas o pensamento não crítico, não cultivado para fins específicos. Esse pensamento "em estado selvagem" pode ser encontrado tanto nos chamados povos primitivos como no homem contemporâneo dito civilizado. Trata-se de um pensamento irreflexivo, ingênuo, por oposição ao pensamento reflexivo tal como o encontramos na filosofia e na ciência. Nessa forma de pensamento, a *função classificatória primária* desempenha um papel fundamental, sendo que ela não se constitui por uma aplicação ao mundo natural de categorias que seriam inatas ao homem, mas resulta da própria relação que o homem estabelece com o natural. Assim, diz Lacan:

> Antes mesmo de se estabelecerem relações que sejam propriamente humanas, cenas relações já são determinadas. Elas se prendem a tudo que a natureza possa oferecer como suporte, suportes que se dispõem em temas de oposição. A natureza fornece, para dizer o termo, *significantes*, e esses significantes organizam de modo inaugural as relações humanas, lhes dão as estruturas, e as modelam.[1]

São estes significantes que vão oferecer a estrutura fundamental do inconsciente humano e conferir-lhe seu estatuto.

É importante deixar claro que isto não elimina nem pretende eliminar a arbitrariedade do signo linguístico. O que Lacan pretende, aproveitando a sugestão de Lévi-Strauss, é transmitir a ideia de que a função significante se faz por oposições (tal como no exemplo do *Fort-Da*) e que essas oposições não surgem do nada, mas encontram um suporte no próprio mundo natural. Este "sugere" certos temas de oposição: dia-noite, alto-baixo, móvel-imóvel, quente-frio, macho-fêmea etc. Da mesma forma, o mundo da cultura impõe certos temas de oposição. Não se trata de uma teoria sobre a origem natural da linguagem, mas da ideia de que o mundo natural possa conter e oferecer certos aspectos que favoreçam mais do que outros a formação de oposições significantes. O que Lacan está nos propondo é que a natureza forneça não a linguagem, mas oposições significantes que são o seu suporte. Essas oposições vão se constituir através das *Vorstellungen*.

O eu como uma desordem de identificações imaginárias

Foi através da questão do *imaginário*, antes mesmo de articulá-lo ao *simbólico* e ao *real*, que Lacan imprimiu à interpretação dos textos freudianos uma característica própria. Sua entrada nesse tema deu-se por ocasião de uma comunicação ao Congresso Internacional de Marienbad, em 1936, que recebeu o nome de *Estágio do espelho*. Nessa época, Lacan participava dos seminários de Alexandre Kojeve sobre Hegel, e a marca hegeliana aparece claramente nesta primeira formulação sobre o Eu e suas identificações primárias.

Ao contrário dos analistas americanos que seguiram Hartmann, Kris e Lowenstein, e que pretendiam estruturar a teoria psicanalítica tomando como referência central o conceito de *eu* (*moi*) entendido como instância central da personalidade, Lacan introduz sua concepção do eu como algo que nem é unificador nem unificado, mas entendido como uma desordem de identificações imaginárias.

A partir de sua comunicação no Congresso de Marienbad, Lacan faz do imaginário a dimensão por excelência da experiência psicanalítica. No entanto, entre a noção de imagem empregada por ele em 1936 e aquela que vai constituir o registro do imaginário posterior ao trabalho *Função e campo da fala e da linguagem em psicanálise*, apresentado no Congresso de Roma em 1953, há uma distância que não é apenas cronológica. Por ocasião do Congresso de Marienbad, Lacan está ainda muito próximo da noção de imagem tal como era empregada pela psicologia gestaltista. O fato marcante do chamado estágio do espelho, era o *infans* ser capaz de perceber a imagem unificada de seu próprio corpo e, por uma identificação a essa imagem, formar um primeiro esboço de eu (*moi*).

O fundamental aqui é a percepção de uma *Gestalt*, de uma oralidade organizada e diferenciada, nessa experiência especular. Esse tipo de percepção é comum à criança e ao animal; não no sentido de o animal ser capaz de *reconhecer* sua imagem no espelho, mas no sentido de ser capaz de discriminar *Gestalten* no mundo de sua experiência. Os experimentos de W. Koeler e de K. Koffka o demonstram sem sombra de dúvida. E os animais são capazes não apenas de perceber *Gestalten* como são capazes ainda de reestruturá-las e de realizar escolhas em função dessas reestruturações. No entanto, por mais complexas que possam ser as reestruturações perceptivas de um animal, elas permanecem no campo de uma *imagética* em relação à qual a linguagem não desempenha papel algum.

O que importa para Lacan e para a psicanálise não é o fato de uma criança entre os seis e os dezoito meses de idade ser capaz de perceber uma *Gestalt*, mas sim que ela faça dessa *Gestalt* percebida o correlato identificatório do seu próprio eu.

Ao reconhecer sua imagem, a criança inicia uma relação com ela mesma – relação especular alienada – que é idêntica à sua relação com a mãe, cujo olhar é como o próprio espelho no qual ela se vê. A imagem que a criança percebe e com a qual se identifica é a condensação do próprio desejo materno. O que está no lugar do seu eu é o outro; no caso, a mãe. O que Lacan percebe é que se o eu (*moi*) é constituído por essa série de identificações alienantes, ele não é nem unificador do sujeito, nem unificado. Ele é, antes de tudo, uma desordem. Isto é o que, em primeiro lugar, vai distinguir o eu enquanto categoria psicanalítica do eu da psicologia.

É importante, porém, que se faça uma distinção entre o emprego do termo *imagem* em se tratando de uma *imagética* e em se tratando do *imaginário* lacaniano. Uma imagética nada mais é do que uma sequência de imagens na qual cada uma funciona como representação atomística do objeto material. O imaginário, por sua vez, é formado por uma rede na qual cada imagem é captada, articulada e retomada. Essa distinção corresponde aproximadamente à que P. Aulagnier estabeleceu entre *pictograma* e *fantasia*. No imaginário, cada imagem é sobredeterminada pelos entrecruzamentos da rede de imagens (rede significante), rede esta que não pode ser concebida sem referência ao simbólico.

A função simbólica e a ordem simbólica

Este é um ponto fundamental para a psicanálise. É apenas por referência ao simbólico que o imaginário pode ser concebido. O imaginário não é um momento geneticamente anterior ao simbólico, mas um momento que surge, retrospectivamente, a partir da aquisição da função simbólica. Mas, se a *função simbólica*, isto é, o acesso à linguagem, dá-se num determinado ponto do desenvolvimento individual, a *ordem simbólica* está presente desde o inicio. Falar da *função simbólica* significa falar do uso que fazemos da fala, enquanto que a referência a uma *ordem simbólica* remete-nos a um conjunto estrutural no interior do qual e em função do qual a palavra possui uma função significante. A palavra, na sua função simbólica, é o que estabelece a mediação entre dois sujeitos e, portanto, o que opera identificações; só que, ao contrário das identificações imaginárias que são alienantes e mortais, as identificações pela palavra são pacificadoras e fundadoras do sujeito. O simbólico enquanto função remete ao simbólico enquanto ordem. Retenhamos essa dupla referência do imaginário: imagem e rede. É em função desta dupla referência que poderemos entender o inconsciente psicanalítico.

Pelo que foi dito acima e pelo que é afirmado repetidamente pelos comentaristas da psicanálise, há uma diferença marcante entre o conceito de inconsciente tal como nos foi legado por Freud e o inconsciente lacaniano. Ao que tudo indica a diferença poderia ser estabelecida a partir da afirmação de Lacan de que "o inconsciente é estruturado como uma linguagem". Mas aceitar a originalidade de Lacan no que se refere ao conceito de inconsciente significaria aceitar que o inconsciente freudiano não é estruturado como uma linguagem? Neste caso, como devemos entender o inconsciente freudiano? Será que ele não é estruturado, ou será que apenas não é estruturado "como uma linguagem"? O que dizer então da condensação e do deslocamento, que Freud aponta desde a *Traumdeutung* como sendo os mecanismos da elaboração onírica inconsciente?

Brentano e o conceito de *Vorstellung*

Freud afirma, desde o início, a natureza psíquica do inconsciente, isto é, o fato de ele ser constituído de representações (*Vorstellungen*). A noção de representação não é uma invenção freudiana. Na verdade trata-se de uma noção bem antiga, corrente no vocabulário filosófico, que Freud retoma a partir de Franz Brentano. Uma rápida exposição da metamorfose sofrida pela noção de *Vorstellung* de Brentano a Freud talvez nos forneça algum esclarecimento sobre a enorme diferença que existe entre o ponto de vista psicanalítico e o ponto de vista psicológico da noção de representação (*Vorstellung*).

Os interesses de Freud e de Brentano eram bastante diferentes. No entanto, ambos tinham uma preocupação comum: a de caracterizar os fenômenos psíquicos. Com este propósito, Brentano publica em 1874 um livro intitulado *A psicologia do ponto de vista empírico*. O "empírico" tinha para ele o sentido de "não experimental" e "não fisiológico". Isto, para fazer frente à psicologia experimental que estava surgindo na Universidade de Leipzig e que tinha como representante mais destacado Wilhelm Wundt com seus *Elementos de psicologia fisiológica*, publicado também em 1874.

O que Brentano queria saber era se os fenômenos psíquicos poderiam ser tratados da mesma maneira que os fenômenos físicos. No seu entender, isto era o que pretendiam os adeptos da psicologia experimental que se fazia na época, e tal proposta só poderia ser levada adiante, segundo Brentano, se os fenômenos psíquicos fossem da mesma natureza que os fenômenos físicos. E ele os considerava essencialmente distintos.

Brentano não admite uma ordenação serial entre a fisiologia e a psicologia que justifique o fato do conhecimento científico de uma ordem ter seu substrato material no imediatamente anterior. Admite que tal seriação possa ser parcialmente válida entre o físico-químico e o fisiológico, dada a similitude entre ambos os fenômenos, mas jamais entre o psicológico e o fisiológico.

Fenômeno psíquico e fenômeno físico são diferentes e irredutíveis um ao outro, e o critério dessa distinção, para Brentano, é o fato de o fenômeno psíquico possuir certas características que lhe são essenciais e que inexistem no fenômeno físico. Numa passagem já bastante conhecida da *Psicologia do ponto de vista empírico*, ele escreve:

> O que caracteriza todo fenômeno psíquico é o que os escolásticos da Idade Média chamaram de *presença intencional* (ou ainda mental)

> e que nós podemos chamar – usando expressões que não excluem o equívoco verbal – de *relação a um conteúdo, direção a um objeto* (que não precisa ser entendido como real) ou *objetividade imanente*. Todo fenômeno psíquico contém em si mesmo qualquer coisa a título de objeto, mas cada um à sua maneira. Na representação (*Vorstellung*) é alguma coisa que é representada, no juízo, alguma coisa que é admitida ou rejeitada, no amor, alguma coisa que é amada, no ódio, alguma coisa que é odiada, no desejo, alguma coisa que é desejada, e assim por diante. Essa presença intencional pertence exclusivamente aos fenômenos psíquicos. Nenhum fenômeno físico apresenta algo de semelhante: podemos pois definir os fenômenos psíquicos como fenômenos que contêm intencionalmente um objeto.[2]

Essa noção de referência intencional, Brentano foi buscar na Idade Média, em particular no filósofo Avicena, que, por sua vez, retirou-a de Aristóteles. Trata-se da *intentio* dos escolásticos. Numa nota de rodapé ao texto acima, Brentano esclarece que em seu tratado *De anima* Aristóteles já falava dessa *inhabitação* psíquica que os escolásticos chamaram de *inexistentia* intencional (onde o "in" significa "em" e não negação). Segundo Aristóteles, o espírito contém imaterialmente o objeto percebido; o objeto está no intelecto pensante. Em Filon, encontramos igualmente a doutrinada existência e da presença mentais. Mais tarde, santo Agostinho faz alusão ao mesmo fato, e santo Anselmo refere-se a ele em seu célebre argumento ontológico, santo Tomás de Aquino nos diz que o objeto pensado está intencionalmente no sujeito pensante, que o objeto de amor está no sujeito amante, que o objeto desejado está no sujeito desejante. Quando a Sagrada Escritura fala de uma inhabitação do Espírito Santo, Tomás de Aquino explica que se trata de uma inhabitação intencional num ato de amor.

A marca distintiva dos fenômenos psíquicos é a intencionalidade, a relação que a consciência mantém com algo que se oferece a título de objeto. Este objeto não necessita ser existente em si mesmo. Um centauro é tão objeto de minha consciência como o livro que se encontra à minha frente. Quando Brentano afirma que toda consciência é consciência de um objeto, ele não está emitindo um juízo de existência sobre esse objeto e sim afirmando a necessidade de um correlato objetal para o ato de consciência.

Há, segundo ele, três modos de referência intencional ou três formas de atos psíquicos: 1. Representações (*Vorstellungen*); 2. Juízos; 3. Emoções (amor e ódio). Esta classificação difere das comumente encontradas nos textos de filosofia e de psicologia, em primeiro lugar por separar a representação do juízo, e, em segundo lugar, pela amplitude e importância que Brentano confere à representação. Por "representação" (*Vorstellung*) ele entende tanto um pensamento como uma ideia ou uma imagem, e a importância que Brentano lhe concede pode ser avaliada pelo que ficou conhecido como "princípio de Brentano", cuja formulação pode ser: "Todo ato psíquico ou é uma representação ou está fundado numa representação."

Resta porém uma pergunta: podemos também falar de fenômenos psíquicos inconscientes? A resposta a esta questão ocupa boa parte do Livro II da *Psicologia do ponto de vista empírico*. Brentano começa por precisar o significa o que ele confere ao termo "consciência". A psicologia empregava o termo tanto para designar atos psíquicos isolados como para designar uma totalidade de fenômenos psíquicos existentes. Empregava ainda o termo tanto no sentido adjetivo, para designar a propriedade daquilo que é consciente, como num sentido substantivo, para designar uma entidade que seria o local onde se processavam os fenômenos psíquicos. "Consciência" é, assim, sinônimo de fenômeno psíquico ou de ato psíquico. A questão da possibilidade da existência de fenômenos psíquicos inconscientes é enunciada por ele nos seguintes termos: "Todos os fenômenos psíquicos são consciência;

mas todos os fenômenos psíquicos são conscientes ou existem também atos psíquicos inconscientes?"[3]

Fica claro que a questão não é colocada por ele nos mesmos termos que foi colocada por Freud. Não se trata aqui de um inconsciente concebido como um sistema autônomo e regido por leis próprias, mas de um registro da própria consciência. Trata-se de um emprego puramente descritivo do termo "inconsciente".

> Empregamos a palavra inconsciente num duplo sentido: no sentido ativo ao falarmos daquele que não tem consciência de uma coisa; no sentido passivo falando de uma coisa da qual não se tem consciência. Na primeira acepção, a expressão consciência inconsciente implicaria uma contradição, mas não na segunda. É esta que nós adotamos aqui.[4]

Na opinião de Brentano, é evidente que não podemos ter, no âmbito da nossa experiência, representações inconscientes, mas ele concorda que isto não elimina a questão, pois poderíamos admitir a possibilidade de deduzirmos a partir do fatos da experiência aquilo que esta experiência não nos fornece diretamente. Disposto a esclarecer definitivamente o problema, Brentano nos aponta quatro vias possíveis de demonstração da tese da possibilidade de uma consciência inconsciente: 1. Poderíamos tentar demonstrar que certos fatos dados pela experiência exigem como *causa* a hipótese de um fenômeno psíquico inconsciente; 2. Poderíamos também tentar demonstrar que um fato dado pela experiência deve acarretar como *efeito* um fenômeno psíquico, mesmo que ele não se dê como tal na consciência; 3. Poderíamos tentar mostrar ainda que, nos fenômenos psíquicos conscientes, a intensidade da consciência que nos acompanha é função da sua própria intensidade, e que embora esta última seja um valor positivo, na primeira ela pode ser um valor negativo; 4. Finalmente, poderíamos argumentar que, sendo todo fenômeno psíquico passível de ser objeto de outro fenômeno psíquico, isto nos remeteria a uma complicação infinita que seria contrária à experiência.

Cada uma dessas hipóteses é discutida por Brentano, que conclui pela insustentabilidade de todas elas. A rejeição de cada uma das hipóteses é feita com base na argumentação de que todas as teorias, até então apresentadas em defesa da *consciência inconsciente*, são deturpações decorrentes da fisiologia e da aplicação de conceitos fisiológicos a fenômenos psicológicos.

O principal alvo da crítica de Brentano é a psicologia fisiológica do tipo da que é desenvolvida por Helmholtz, Hartman e Wundt. Não é um inconsciente, tal como foi postulado depois por Freud, que Brentano está recusando. O objeto de sua crítica é a *consciência inconsciente*. Ainda estamos longe – não em termos temporais mas em termos teóricos – da cisão do psiquismo operada por Freud.

Freud e Brentano

No entanto, Freud assistiu durante dois anos aos cursos de Brentano, quando era ainda estudante na Universidade de Viena. Não é fácil estabelecer a extensão da influência de Brentano sobre Freud. A única referência a ele que encontramos nos textos de Freud é em *O chiste e sua relação com o inconsciente*, onde, numa longa nota de rodapé, Freud expõe os "enigmas" de Brentano.[5] O que nos interessa, contudo, não é a discussão brentaniana sobre a *consciência inconsciente*, e sim o desenvolvimento que, com ele e a partir dele, teve a noção de Vorstellung, e é aí que poderemos avaliar a influência do filósofo austríaco sobre Freud.[6] Retomemos pois a noção de *Vorstellung* tal como apresenta por Brentano e colhida por Freud em 1875, quando assistiu aos seminários sobre a lógica de Aristóteles.

O que Brentano chama de representação (*Vorstellung*) não é o objeto representado, mas o próprio ato de representar, o qual é uma das formas de *intentio* (as outras duas sendo respectivamente o juízo e o afeto).

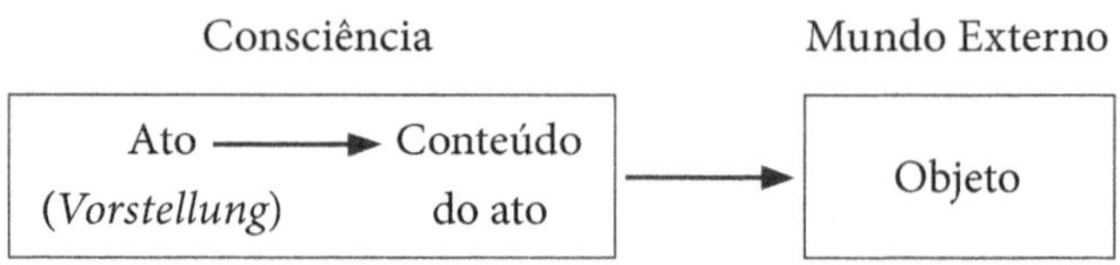

Já vimos porém que todo fenômeno psíquico contém em si algo a título de objeto, que a todo ato corresponde um objeto. Esse objeto (*Gegenstand*) não deve ser confundido com a coisa externa existente em si mesma e autônoma em relação à consciência.

Assim, a todo *ato* de representar corresponde um *objeto* representado (ou "mentado", no sentido de "presente na mente"). A representação é o ato pelo qual o objeto se faz presente na mente: o que Brentano denomina "presença intencional". É importante relembrar que o objeto representado não precisa ser um objeto existente. O esquema acima poderia ser transformado no seguinte:

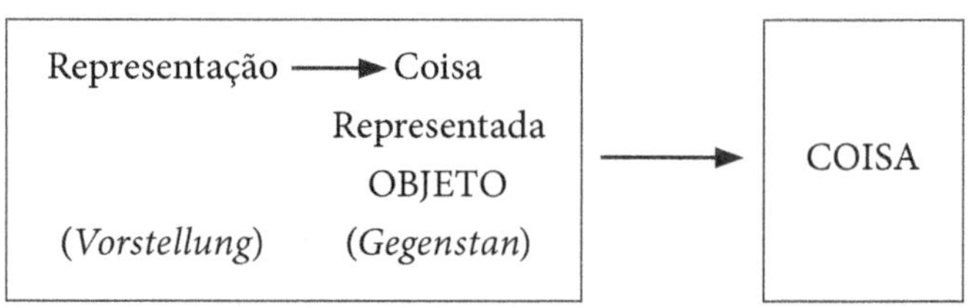

Todo fenômeno psíquico e, portanto, toda representação implica um ato e um conteúdo do ato (objeto), de tal modo que um não pode se dar sem o outro. Não há percepção sem objeto percebido e vice-versa. Embora o termo *Vorstellung* seja utilizado por Brentano para designar o ato de representar e não o objeto representado, não podemos deixar de considerar o fato de que um não existe sem o outro e que ambos independem da existência real das coisas (*Dingen*) às quais eles se referem. Isto faz com que o sentido de uma *Vorstellung* seja decorrente não da coisa (*Ding*) à qual ela supostamente se refere, mas da relação que ela mantém com as outras *Vorstellungen*. Este fato já é reconhecido pelo próprio Brentano quando, num apêndice de 1911 ao *Psicologia do ponto de vista empírico*, trata da questão dos objetos verdadeiros e dos objetos fictícios.[7]

Essa independência da representação com relação ao objeto não implica a aceitação da tese idealista que nega a existência do objeto externo à consciência. Brentano mantém-se fiel à tradição aristotélica. O que está sendo afirmado é que a *Vorstellung* não é uma reprodução do objeto externo, e que o seu sentido não é derivado desse objeto e sim da relação que as várias *Vorstellungen* mantêm umas com as outras.

Este é, a meu ver, o ponto principal da questão, aquele que vai possibilitar a passagem do psicológico para o lógico, fazendo com que as *Vorstellungen* se estruturem *como uma linguagem*.

De entidade psicológica a entidade lógica habitante do discurso

Se a *Vorstellung* existe, mesmo que o objeto externo não exista, podemos colocar entre parênteses a questão de sua existência e elaborar uma teoria do *puro objeto*. Foi o que fez Alexius Meinong, discípulo de Brentano, na época em que Freud publicava *A interpretação de sonhos*.

A teoria de Meinong não pretende de maneira alguma demonstrar que a questão da existência dos objetos é uma questão ociosa; Meinong não está se debatendo com uma questão metafísica, assim como, no que se refere a este tema, não está fazendo psicologia (apesar de ser um dos integrantes da Escola de Graz).

A questão de Meinong é sobretudo lógica. Por "puro objeto" devemos entender aquele objeto para o qual a existência ou inexistência não o afeta em nada. Um puro objeto é um *Ausserseind*, um extrasser. É o caso do centauro, do círculo quadrado ou do número cinco.

Um discípulo de Meinong, E. Mally,[8] propõe, por sua vez, uma teoria segundo a qual a independência do puro objeto é colocada não em termos de ser e de extra-ser, mas em termos de uma análise rigorosa das relações entre o objeto e suas determinações. Cada determinação (uma característica ou uma descrição) não é necessariamente satisfeita por um objeto. Assim, por exemplo, não há nenhum objeto que satisfaça as determinações do quadrado redondo. Mally conclui que estes objetos ou estes seres de ficção só podem ser produzidos pela linguagem, e que o espaço que eles ocupam é o do discurso.

Não pretendo expor detalhadamente a transformação que a noção de *Vorstellung* sofre desde Brentano até Mally e Russell, para isto remeto o leitor à detalhada exposição feita por Safouan em *L'échec du principe du plaisir.*

O que me importa aqui é assinalar a transformação sofrida pela *Vorstellung*, de entidade psicológica a entidade lógica habitante do discurso.

O *puro objeto* de Meinong e de Mally, já anunciado na noção de inexistência intencional de Brentano, prenuncia *o significante puro* de Lacan. Mas, da autonomia da *Vorstellung* à autonomia do significante, há um passo decisivo a ser dado, e este passo é dado por Freud com o conceito de inconsciente, "pois nele as *Vorstellungen* já têm desde a origem o caráter de uma estrutura significante".[9]

A *Vorstellung* em Freud

Como já foi dito, a nos guiarmos pelas referências que Freud fez a Brentano (nenhuma foi feita a Meinong), a influência sofrida teria sido quase nula. No entanto, independentemente de uma influência reconhecida, o fato é que dificilmente um estudante universitário num país de língua alemã estaria imune ao peso da tradição filosófica alemã que vai de Leibniz a Hegel, passando por Kant – mesmo um estudante de medicina, já que para eles o estudo da filosofia era obrigatório.

O fato é que os primeiros textos de Freud, particularmente a monografia sobre as afasias (*Zur Auffassung der Aphasien*) de 1891, são escritos numa linguagem muito mais próxima da linguagem filosófica do século XIX do que da terminologia médica. E é exatamente nesse texto de início de carreira que Freud, pela primeira vez, aborda de forma ampla o tema da *Vorstellung*. Seu intuito é o de elaborar um esquema teórico, que ele denomina "aparato de linguagem", para fornecer uma explicação neurológica das perturbações da linguagem.

Tomando a palavra como unidade da função da linguagem faz dela uma "representação complexa" formada de elementos acústicos, visuais e cinestésicos. É de se notar que ele não fala de representação de palavra, mas torna a própria palavra como representação, tal como o objeto. Os termos que ele emprega são "representação-palavra" (*Wortvorstellung*) e "representação-objeto" (*Objektvorstellung*). (Nesse artigo, *Objektvorstellung* corresponde a *Sachevorstellung* do artigo *O inconsciente*.) Para os nossos propósitos, o que interessa ressaltar nesse artigo não é tanto a teoria de Freud sobre a afasia, mas sua concepção da representação, sobretudo a distinção que ele faz entre "representação-palavra" e "representação-objeto".

Ao se considerarem as representações como signos, não há como estabelecermos uma diferença essencial entre os *signos como acontecimentos* (fumaça e fogo) e os signos enquanto *elementos verbais*. Tanto as *Sachevorstellungen* como as *Wortvorstellungen* são *Vorstellungen* – representações.

Mas ainda estamos aqui no registro das representações conscientes (ou pré-conscientes/conscientes). Estas são as representações que compõem o *meu mundo*, isto é, que constituem o mundo *enquanto representação*, e este ordena-se segundo um sentido prévio. É um mundo cujo sentido é antecipável e no qual as representações que o constituem são significativas. Mas Lacan chama a atenção para o fato de que o que é significativo não é necessariamente significante: do que é significativo, conhecemos antecipadamente o seu sentido; do que é significante, desconhecê-mo-lo inteiramente. O significante produz como efeito seu próprio sentido, sem que este lhe seja prévio.

A *Vorstellung* como significante

Ultrapassando o plano do signo linguístico, e ultrapassando o plano do próprio signo enquanto antecipável, Lacan aponta para a noção de *significante puro*, isto é, de um significante sem significado prévio. A noção de significante puro não quer dizer que o significado deixe de existir, mas sim que ele é produzido pelo significante.

Esta é a noção que está na base da teoria do inconsciente: o *significante é o agente*. Ou, mais especificamente ainda, como nos diz Lacan: "O inconsciente é um conceito forjado sobre o rastro daquilo que *atua* para constituir o sujeito."[10] O que *atua*, portanto, é o significante, é ele que constitui o sujeito. Daí a concepção lacaniana do significante ser inseparável de uma teoria do sujeito.

Um significante é, pois, aquilo que faz *ato*. Mas o significante não faria ato se não fosse um *Triebrepräsentanz*. É sua vinculação à pulsão que lhe permite "fazer ato", e creio que é importante fazermos um pequeno parênteses para falarmos sobre a pulsão e seus representantes.

A noção de *Vorsrellungsrepräsentanz*

A pulsão, pelo menos aquilo que denominamos *pulsão de morte*, não pertence ao domínio do psíquico. Isto não quer dizer que ela não se faça presente no psiquismo, mas sim que ela pertence a um registro que fica além daquele que é dominado pelo princípio do prazer e pelo princípio de realidade, além do domínio ocupado pelo que Lacan denominou de *rede significante*. No psiquismo, a pulsão se faz presente pelos seus representantes: a *Vorstellung* e o *Affekt*. Ambos presentificam a pulsão no psiquismo, mas cada um à sua maneira. Na *Vorstellung*, enquanto concebida como *Vorstellungsrepräsentanz* (representante representativo ou representante da representação), temos que distinguir a própria *Vorstellung* (representação) do *Repräsentanz* (representante). A *Vorstellung* porta a significação, enquanto que o *Repräsentanz* diz respeito a uma função de ser representante – "sem que para isto intervenha sua significação própria."[11] O *Affekt*, por sua vez, diz respeito àquilo que nessa função de representação concerne à intensidade, àquilo que pode ser concebido como expressão qualitativa do *quantum* de energia pulsional. A noção de *significante*, tal como Lacan a emprega, não diz respeito à significação mas sim ao representante. O que estou querendo salientar aqui é que uma *Vorstellung* não é a mesma coisa que uma *Vorstellungsrepräsentanz*. Enquanto na primeira o dominante é a significação, na segunda o que se pretende marcar é a sua função de representante.

Um exemplo talvez ajude a esclarecer essa diferença. Freud refere-se aos representantes psíquicos como "delegados" das pulsões. Ora, a função de um delegado – e tomemos como exemplo um delegado de polícia – não é a de impor sua própria lei, sua vontade individual, suas características pessoais, mas de ser um representante (*Repräsentanz*) da lei. Não é sua significação individual que importa, ela é secundária em relação à sua função de presentificar a lei. Sua significação pessoal pode ser importante para uma psicologia do indivíduo ou para uma análise psicológica do comportamento do policial. De forma análoga, na *Vorstellungsrepräsentanz* o que é significante é o que diz respeito ao *Repräsentanz*; na medida em que é o representante da pulsão, Isto não quer dizer, evidentemente, que a *Vorstellung* não tenha importância, mesmo porque, não se trata de duas coisas, *Vorstellung* e *Repräsentanz*; mas de uma só, *Vorstellungsrepräsentanz*, a qual é significante precisamente por não ser apenas uma representação e sim por ser um representante da representação. É a função de representante, isto é, o fato de ela ser uma *Triebrepräsentanz*, que articula a representação (*Vorstellung*) à pulsão (*Trieb*). Um significante, enquanto pura entidade lógica, não seria capaz de "fazer ato"; e enquanto entidade psicológica, ele somente se caracteriza como sendo de natureza psicanalítica se for concebido como um *Triebrepräsentanz*, e é por essa vinculação à pulsão que ele pode fazer ato, constituindo um sujeito e o próprio inconsciente.

O significante faz ato

Mas o que quer dizer esse "fazer ato"? O que se deve entender por "ato"?

Aristóteles, na *Metafísica*,[12] ao distinguir *potência* e *ato*, nos diz que o ato tanto pode ser tomado no sentido da *atividade* ela própria como no sentido do fim ou do *acabamento da ação*. No entanto, é enquanto efeito ou acabamento da ação que adquire o seu sentido mais forte. Essa distinção pode ser de grande utilidade para o entendimento do que seja o *ato psicanalítico*. Ou seja, o *ato* não é propriamente a *atividade*, mas o *efeito* da atividade. "Fazer ato", no sentido em que se diz que "o significante faz ato" é se referir a um efeito, efeito do significante, e não à ação propriamente dita.

Em algum momento dos seus seminários, Lacan diz que não há *behavior* humano mas sim ato humano. Isto porque o *behavior* é supostamente redutível a uma atividade motora, enquanto que o ato é indissociável da linguagem. O suicídio é um ato e não um *behavior*. Num sentido amplo, toda ação humana é da ordem do ato, já que é necessariamente atravessada pela linguagem.

Mas todo ato é ordem do *acontecimento* e, portanto, algo que, embora diga respeito às coisas, subsiste apenas pela linguagem. Assim, o *ato psicanalítico*, enquanto acontecimento, não pode ser pensado fora da linguagem, fora da estrutura do discurso. É portanto pela *palavra* que o *ato psicanalítico* se constitui, ele é a própria colocação em ato do sujeito e do inconsciente. Sua função é possibilitar ao sujeito ser representado por um significante para outro significante.

Quando isto falha sobrevêm a *passagem ao ato* e o *acting-out*, que não devem ser confundidos com o *ato psicanalítico*. Tanto a *passagem ao ato* como o *acting-out* são atividades cujo objetivo é tapar um buraco angustiante, atividades que reproduzem um passado em vez de rememorá-lo em palavras. São, neste sentido, *restos*, restos de uma dialética que se dá pela palavra mas que não pode se dar senão pela ação. A *passagem ao ato*, ao invés de manter o processo intersubjetivo, caracteriza-se por uma saída abrupta para o real; o *acting-out*, ao invés dessa saída, monta uma cena, cena esta que é uma repetição do "mesmo".

O *ato psicanalítico*, ao contrário, é o que possibilita, pelo rastreamento dos significantes, a emergência do sujeito. E a *singula-*

ridade desse ato resulta do caráter inantecipável do inconsciente e do sentido. Daí, a importância da interpretação como sendo uma *pontuação* e não uma atribuição de sentido.

Afirmar que o "significante é o que faz ato" é falar desse efeito de sujeito que ele provoca. E é precisamente isto que escapa a toda concepção psicologizante da *Vorstellung* freudiana: seu modo de estruturação e de funcionamento *como uma linguagem*, o fato de que, como reproduzi antes, "as *Vorstellungen* já têm desde a origem o caráter de uma estrutura significante".[13] Desconhecer isto é desconhecer o fundamental do conceito psicanalítico de inconsciente.

9. Pulsão de morte

O conceito de pulsão nos remete a uma região do campo psicanalítico que está além da ordem. Esse campo poderia ser pensado como sendo composto por duas grandes regiões: uma compreendendo aquilo que Freud designou de aparelho psíquico (ou "aparato anímico", como ele preferiu posteriormente) e que abarca o inconsciente e o pré-consciente/consciente; e uma outra região, para além do princípio do prazer, que seria o lugar próprio das pulsões. A primeira região define o que se chamou de espaço da representação, entendendo-se por representação (*Vorstellung*), como já vimos, não o que poderia ser pensado como representação de algo externo, mas que seria melhor designado como *representante da representação.*[1] Esse é o lugar da *ordem* – ordem pré-consciente/consciente assim como ordem inconsciente – formada pela rede de significantes e regida pelo princípio de prazer e seu sucedâneo, o princípio de realidade. A pulsão ocupa um outro lugar, situado além da ordem e da lei, além do inconsciente e da rede de significantes, além do princípio de prazer e do princípio de realidade, além da linguagem: é o lugar do acaso.

Para além da ordem e da lei

O campo psicanalítico não é, pois, todo ele abarcado pela ordem, há um fundo de acaso contra o qual essa ordem se apresenta e com a qual ela mantém uma relação estrutural. Volto a frisar que não se trata aqui da distinção entre o pré-consciente/consciente e o inconsciente, mas de uma outra, mais radical, entre o aparato anímico (que abarca o Ics e o Pcs/Cs) e as pulsões. Tampouco se trata de uma divisão que coloca de um lado o pré-consciente/consciente e de outro lado o Id (*das Es*) como lugar das pulsões. O Id é também uma instância psíquica enquanto que a pulsão é extrapsíquica. Sem dúvida alguma, o Id é inconsciente - embora não seja o inconsciente - mas nem se confunde com este último, nem com as pulsões propriamente ditas. No entanto, um ponto é indiscutível para quem quer que tenha lido *O Eu e o Id*: o Id é uma instância psíquica. A confusão tão comum entre o Id e as pulsões ou do Id como o lugar das pulsões, decorre da imagem utilizada várias vezes por Freud do Id como "o grande reservatório da libido".[2] Devemos observar em primeiro lugar que Freud se refere à libido e não às pulsões, e em segundo lugar, que ele fala de *reservatório* e não de *fonte*. De qualquer forma, não há porque confundir libido, conceito energético, com pulsão, conceito dinâmico. Voltemos pois a este último.

Sobre a pulsão incidem questões para as quais o leitor de Freud não encontra respostas imediatas e claras em seus textos. Por outro lado, as releituras do texto freudiano fizeram surgir novas questões que, se por um lado eliminaram respostas simplistas, por outro lado tornaram mais complexas novas respostas.

A pulsão é o que se repete

Quando se diz da pulsão que ela é repetição, o que é que se repete? É a própria pulsão que se repete ou é seu representante psíquico? Há uma repetição que se dá no nível da própria pulsão e outra que se dá no nível da representação, sendo esta última um epifenômeno da primeira? É a mesma pulsão que se repete, ou não tem sentido empregar o termo "mesma", já que enquanto pulsão ela é potência indeterminada? Qual é o critério da "mesmidade" da pulsão? Se é a mesma pulsão que se repete, e se ela não se satisfaz plenamente nunca, quer isto dizer que ela é inesgotável? Que uma vez tendo surgido ela não desaparece jamais? Ou será que o fato de a pulsão obter de cada vez uma satisfação parcial significa que ela vai se enfraquecendo progressivamente até se extinguir?

Estas são apenas algumas questões relativas à natureza das pulsões. Lacan nos oferece algumas indicações quanto ao caminho a se tomar na tentativa de respondê-las. "O que se repete, com efeito, é sempre algo que se produz… como por acaso",[3] e, mais adiante, "a repetição demanda o novo".[4] Ao mesmo tempo, nos diz que "a repetição é algo que, em sua verdadeira natureza, está sempre velado na análise".[5] Por estas passagens, fica claro que não se trata de "repetição do *mesmo*". Repetição não é reprodução – "*Wiederholen* não é *Reproduzieren*".[6] Já discuti em outro lugar[7] a noção de repetição em Hegel, Kierkegaard e Nietzsche, e, particularmente, a distinção entre repetição do "mesmo" e repetição diferencial, de modo que limitar-me-ei aqui a empregar o termo "reprodução" para designar a reprodução do "mesmo" e o termo "repetição" para designar a repetição (diferencial) propriamente dita.[8] Contudo, nunca é demais lembrar que tanto para Kierkegaard quanto para Nietzsche a repetição implica algo novo, que ela se opõe terminantemente às leis da natureza tanto quanto à lei moral, assim como se opõe às generalidades do hábito. Há portanto uma marca comum às concepções de Freud/Lacan e de Kierkegaard e Nietzsche, e esta marca comum é o fato de todos eles conceberem a repetição como algo que implica o novo, a criação, a produção de diferenças. Esta característica, por si só, já seria suficiente para colocarmos sob suspeita a afirmação contida no capítulo 5 de *Além do princípio de prazer* de que "uma pulsão seria um esforço inerente ao organismo vivo de reprodução de um estado anterior".

A pulsão de morte como vontade de destruição

Em seu seminário de 4 de maio de 1960, Lacan propõe três níveis em que pode ser articulada a questão da pulsão de morte:

1. No nível dos sistemas materiais inanimados: *entropia*;
2. No nível dos sistemas materiais vivos: *retorno ao inanimado*;
3. Como *vontade de destruição* (e não *tendência* ao inanimado).

No primeiro nível, trata-se da pura e simples aplicação do conceito energético de entropia à psicanálise. Embora se esteja falando em sistemas materiais inanimados, isto não exclui a aplicação a organismos vivos. O segundo nível expressa mais apropriadamente a noção freudiana de "retorno ao inanimado" tal como aparece em *Além do princípio de prazer*, e que seria a tendência geral de todos os sistemas de retorno ao equilíbrio. No entanto, Lacan chama a atenção para o fato de que esta noção, tal como é aqui colocada, expressa uma *tendência*, o que não corresponderia adequadamente ao conceito de pulsão. O terceiro nível é a concepção da pulsão de morte como "vontade de destruição, que Lacan se apressa em dizer que não se trata de uma *Wille* fundamental de estilo schopenhaueriano. O que ele afirma é que não se trata, na pulsão de morte, de uma *tendência*, e menos ainda de uma tendência ao inanimado. A pulsão de morte deve ser entendida como uma vontade de destruição direta, o que não significa tampouco agressividade (esta seria um efeito), mas sim vontade de destruição, vontade de recomeçar com novos custos. Vontade de Outra-coisa...[9]

De fato, se a pulsão coloca em causa o natural, se por ela e a partir dela o natural tem que ser recriado, sua identificação com a vontade de destruição é legítima. Não se deve entender essa vontade de destruição como uma encarnação do mal, como a afirmação de um niilismo fundamental implícito na teoria freudiana. O que se está recusando é a concepção da pulsão de morte como uma tendência a reproduzir o mesmo.

A autonomia da pulsão de morte

A questão que afligia Freud em *Além do princípio de prazer*, era a da autonomia da pulsão de morte. Por "autonomia" entenda-se uma pulsão de morte cuja energia não seja a libido. A destrutividade era ainda vista como uma metamorfose da pulsão sexual e o sadismo/masoquismo, uma expressão dessa metamorfose. A aceitação de uma destrutividade autônoma, não derivada da sexualidade ou não ligada a ela, era de difícil aceitação por parte de Freud. Além do mais, tal concepção aproximava perigosamente a teoria freudiana do monismo de Jung, sobretudo a partir do momento em que ele (Freud) chega à conclusão de que as chamadas pulsões de autoconservação, que ele anteriormente identificara às pulsões de morte, não se opunham às pulsões sexuais. Uma parte das pulsões de autoconservação era também libidinosa e, portanto, sexual. Se as pulsões de autoconservação são também de natureza libidinosa, não há porque se falar em dualismo pulsional. Eis Jung batendo à porta de Freud.

Era urgente, portanto, destacar o caráter autônomo da pulsão de morte para que fosse mantido o dualismo. O recurso à biologia, que a partir do capítulo 5 é a marca distintiva de *Além do princípio de prazer*, não fornece a Freud uma base segura para a definição da pulsão de morte. A própria concepção de que as pulsões tendem a restabelecer um estado anterior, não era suficiente para caracterizar a pulsão de morte, já que também era aplicável à pulsão sexual. Freud, porém, permanece irredutivelmente dualista; pelo menos como profissão de fé: "Nossa concepção foi desde o começo *dualista*, e continua sendo de maneira ainda mais firme hoje..."[10] No último capítulo de *Além do princípio de prazer*, depois de distinguir *função e tendência*, ele afirma que o princípio de prazer seria uma tendência a serviço de uma função que é a de fazer com que o aparato anímico fique livre de toda excitação, "a função assim definida participaria da aspiração mais universal de todo ser vivo a voltar atrás, ao repouso do mundo inorgânico".[11] O que o leva a concluir que o princípio de prazer está diretamente a serviço da pulsão de morte. Mas a *tendência* a se livrar de toda excitação é algo que diz respeito ao princípio de prazer e ao domínio ao qual ele se aplica, isto é, ao espaço da representação e não à pulsão ela própria, o que faz com que a questão da autonomia da pulsão de morte persista indefinida para Freud.

O texto nos deixa em posição análoga a do leitor dos chamados diálogos socráticos de Platão cujo desfecho é mais negativo do que positivo. Talvez não seja por acaso que Freud termina o capítulo 6 citando o *Banquete* de Platão. *Além do princípio de prazer* é, a este respeito, um texto inconclusivo e, naquilo que ele possui de afirmativo, trai um compromisso com a biologia que, longe de tornar a questão mais clara, compromete mais ainda o texto.

O verdadeiro além do princípio de prazer vamos encontrar dez anos mais tarde exposto em *O mal-estar na cultura*, sob a afirmação da plena autonomia da pulsão de morte entendida como pulsão de destruição. Freud assinala que não se trata de uma reformulação da teoria das pulsões mas apenas de conceder maior relevo a uma transformação que já se havia operado há muito tempo, algo que teve início em *Além do princípio de prazer* mas cujas origens podem-se remontar à introdução do conceito de narcisismo.

Mas até essa época, as manifestações da chamada pulsão de morte estavam restritas ao sadismo e ao masoquismo, isto é, à articulação da pulsão de morte com as pulsões sexuais; a destrutividade sempre aparecia vinculada à sexualidade e não como destrutividade autônoma. Contrariamente ao caráter ruidoso das pulsões de vida, a pulsão de morte era apontada por Freud como sendo silenciosa e invisível. Em *O mal-estar na cultura*, contudo, ele reconhece que não é possível desconhecer a ubiquidade da agressão e destruição não eróticas[12] e que "em consequência, o próximo não é somente um possível auxiliar e objeto sexual, mas uma tentação para satisfazer nele a agressão, explorar sua força de trabalho sem recompensá-lo, usá-lo sexualmente sem seu consentimento, despojá-lo de seu patrimônio, humilhá-lo, infligir-lhe dores, martirizá-lo e assassiná-lo".[13] Essa onipresença da destrutividade, custava a Freud reconhecê-la. Ou melhor, não era tanto a sua onipresença que provocava a resistência de Freud, mas, acima de tudo, sua autonomia. Reconhecer uma pulsão destrutiva como algo totalmente independente da sexualidade era reconhecer a maldade fundamental e irredutível do ser humano. Não se trata mais de uma sexualidade que, regida pelo princípio de prazer, lança mão da agressividade para atingir seu objetivo, mas sim de uma disposição pulsional autônoma, originária, do ser humano.[14]

A pulsão de morte como potência criadora

Freud aponta a pulsão de morte como o obstáculo maior à cultura, na medida em que esta última tende a reunir indivíduos, famílias, nações, com vistas a uma grande unidade que seria a humanidade. A cultura estaria, portanto, a serviço de Eros. A pulsão de morte, entendida como potência destrutiva, tem como alvo a disjunção dessas unidades, a recusa da permanência. Enquanto a pulsão sexual é conservadora, pois além de constituir uniões tende a mantê-las, a pulsão de morte é renovadora. Ao colocar em causa tudo o que existe, ela é potência criadora.[15] Enquanto Eros tende à unificação, à indiferenciação, a pulsão de morte, como princípio disjuntivo, é produtora de diferenças.

A pulsão de morte é antinatural (como diz Lacan) e anticultural (segundo Freud) não no sentido de ela ter como alvo a destruição da natureza e da cultura, mas no sentido de colocar em causa tanto uma como outra, de recusar a permanência do "mesmo", de provocar na natureza e na cultura a emergência de novas formas.

Este foi o aspecto da pulsão de morte apontado por Jean Hyppolite[16] em sua análise do artigo *A denegação* de Freud, e este é também o ponto de vista de Lacan ao definir a pulsão de morte como "vontade de destruição". Se a pulsão coloca em causa o natural, se por ela e a partir dela o natural tem que ser recriado, sua identificação com a vontade de destruição é legítima.

A partir daí podemos entender a afirmação de Lacan segundo a qual a pulsão comporta uma dimensão histórica. Numa primeira aproximação, a afirmação parece contraditória. Se a pulsão é externa ao aparato psíquico, se ela se situa para além da linguagem e da ordem – portanto, no lugar do acaso e da dispersão – ela seria muito mais marcada pela a-historicidade, ficando a historicidade referida à representação. "Essa dimensão [da historicidade] se marca pela insistência com que ela se apresenta, uma vez que ela se refere a algo memorável ou memorizado. A rememoração, a historização, é coextensiva ao funcionamento da pulsão no que se chama de psiquismo humano."[17] Ou seja, é porque se dá uma presença da pulsão no psiquismo humano, que a historização (o memorável ou memorizado) é possível. Considerada em si mesma, a pulsão permaneceria no lugar do não histórico. Mas como a pulsão não seria pulsão se não fosse o simbólico, podemos dizer que independentemente de suas formas de presentificação no psiquismo, a historicidade da pulsão é a sua não naturalidade.

O caráter não natural da pulsão seria, por si só, suficiente para situá-la numa dimensão histórica, mas é preciso ainda "algo além de onde ela possa ser apreendida numa rememoração fundamental".[18] Esse "algo além" – além da pulsão – é *a cadeia significante* na qual e pela qual a rememoração é possível. É ao ser capturada pela rede de significantes que a pulsão adquire sua dimensão histórica (o memorável ou memorizado). O que não é capturado, o que permanece como potência dispersa, indeterminada, é não memorizado, fundo anárquico, cujo caráter histórico fica restrito à sua não naturalidade.

Voltando à concepção da pulsão de morte como "vontade de destruição", gostaria de comentar ainda alguns de seus aspectos. Em primeiro lugar, se me for concedido um reparo à terminologia lacaniana, prefiro o termo "*potência* de destruição" a "vontade de destruição". Isto não só afastaria uma possível conotação psicológica inevitavelmente ligada ao termo "vontade" como ainda evitaria uma aproximação à vontade schopenhaueriana. A se permitirem ressonâncias, creio que seria mais adequada a que faz sinal para Spinoza. Em segundo lugar, gostaria de voltar a frisar que a potência destrutiva com que é caracterizada a pulsão de morte não implica uma postura niilista. Ao contrário, na medida em que a pulsão de morte seja concebida como potência destrutiva é que poderemos pensá-la atuando disjuntivamente e impedindo a perpetuação de formas ou uniões constituídas por Eros. Freud nos diz[19] que a cultura está a serviço de Eros, que quer reunir os indivíduos em totalidades cada vez mais abrangentes, até a constituição de uma grande totalidade que é a humanidade. Da singularidade individual à totalidade da humanidade, teríamos uma crescente indiferenciação. Ora, se entendermos o desejo como pura diferença, o projeto de Eros seria o da eliminação da diferença e, portanto, do desejo, numa indiferenciação final que é a humanidade. A pulsão de morte, enquanto potência destrutiva (e princípio disjuntivo) é o que impede a repetição do mesmo, isto é, a permanência de totalidades, provocando pela disjunção a emergência de novas formas. Ela é, portanto, criadora e não conservadora, posto que impõe novos começos ao invés de reproduzir o "mesmo". A verdadeira morte – a morte do desejo, da diferença – sobrevém por efeito de Eros e não da pulsão de morte.

Um estímulo para o psíquico

Creio que isto pode nos ajudar a responder a algumas das questões colocadas no início do capítulo. Assim, quando dissemos que o alvo da pulsão é a repetição e perguntamos se é a mesma pulsão que se repete, podemos agora responder que ela se repete como diferença. E temos aqui novas ressonâncias, desta vez, nietzscheanas. Se pulsão é repetição, ela é uma repetição diferencial.

Logo no inicio de *Pulsões e destinos das pulsões*, Freud recorre à biologia no sentido de tomar-lhe emprestado o conceito de estímulo. A pulsão é "um estímulo para o psíquico".[20] Estímulo para o psíquico e não estímulo psíquico, portanto, algo que externamente ao aparato psíquico funciona como estímulo para este último. Mas apesar da referência à fisiologia, Freud apressa-se em dizer que os estímulos pulsionais não são da mesma natureza que os estímulos fisiológicos, sobretudo pelo fato de que enquanto estes atuam como força de choque momentânea, os estímulos pulsionais atuam como força constante. Nada impede que chamemos de "necessidade" ao estímulo pulsional; e, como toda necessidade, esta exige ser satisfeita. A satisfação só pode ser obtida pela eliminação do estado de estimulação na fonte, e este é um processo somático interior ao próprio organismo (porém externa ao aparato psíquico). Uma confusão frequente é a que resulta da afirmação de Freud de que o estímulo corporal é representado (*repräsentiert*) na vida anímica pela pulsão. Tal afirmação induz o leitor do texto freudiano a entender a pulsão como sendo psíquica, à diferença do estímulo que seria corporal. No entanto, é o próprio Freud quem nos impede de seguir por esta via ao afirmar que:

> em verdade, a oposição entre consciente e inconsciente carece de toda pertinência com respeito à pulsão. Uma pulsão nunca pode passar a

> ser objeto de consciência; somente pode sê-lo a representação que é seu representante... tampouco no interior do inconsciente pode estar representada, a não ser pela representação.[21]

Portanto, a pulsão está para além da distinção entre consciente e inconsciente, não se fazendo presente no psiquismo a não ser pelos seus representantes. Não é a pulsão em si mesma que representa o corpo no psiquismo, ela o faz através de seus representantes psíquicos (*Vorstellung* e *Afffekt*). "Embora para a pulsão o que é absolutamente decisivo é sua origem na fonte somática, dentro da vida anímica não nos é conhecida de outro modo que por suas metas"[22] ou pelo objeto, "que é aquilo em ou pelo qual ela pode alcançar sua meta (a satisfação)".[23] Conhecemos as pulsões pelos seus efeitos e não por elas próprias, e estes efeitos se dão no nível da representação. Os próprios destinos das pulsões (*Triebschicksale*) apontados por Freud no artigo que leva esse título, são na verdade destinos dos representantes das pulsões, "variedades de defesa contra as pulsões"[24] e dizem respeito ao objeto, ao conteúdo ou ao alvo das pulsões e não às pulsões propriamente ditas.

Não há diferenças qualitativas entre as pulsões

As várias partes do corpo (fontes) produzem numerosas pulsões, e Freud não vê motivo para se estabelecer uma diferença qualitativa entre elas: "Todas as pulsões são qualitativamente da mesma índole",[25] sendo as diferenças no nível psíquico, devidas à diversidade das fontes pulsionais e não a uma diferença ontológica entre as próprias pulsões. Embora afirme que as pulsões são todas da mesma índole, Freud as reduz a dois grupos de pulsões primordiais: as *pulsões de autoconservação* (ou pulsões do eu) e as *pulsões sexuais*. Enquanto estas últimas visam o "prazer do órgão", o prazer referido a um órgão específico do corpo, as primeiras visam a autoconservação do indivíduo.

Esta oposição, estabelecida no artigo *A perturbação psicogênica da visão segundo a psicanálise* (1910), foi submetida a uma revisão em 1914 com a introdução do conceito de narcisismo. No artigo de 1910, Freud distinguia os dois grupos de pulsões, afirmando que apenas as pulsões sexuais tinham por energia a libido; as pulsões de autoconservação, ou pulsões do eu, eram não libidinais.[26] Contudo, em *Introdução ao narcisismo* (1914), ele descobre que o eu é também investido libidinalmente, o que tornava frágil a distinção acima. No entanto, ela se manteve até 1920 quando, em *Além do princípio de prazer*, ele apresenta um novo dualismo pulsional: as pulsões de autoconservação e as pulsões sexuais são unificadas sob a rubrica de *pulsões de vida* (cuja energia é a libido) e a elas é oposta a *pulsão de morte*.

Monismo e dualismo

Por que a defesa intransigente dessa "intuição básica dualista" como a denomina Freud em *O Eu e o Isso*?[27]

A questão do monismo e do dualismo remonta aos começos da reflexão filosófica. Tomado em sua acepção mais geral, o termo "monismo" designa todo sistema de pensamento que reduz a multiplicidade das coisas a uma unidade fundamental. Esta pode ser uma unidade do ponto de vista da *substância* de que as coisas são compostas, pode ser uma unidade do ponto de vista das *leis* que regem o comportamento das coisas, ou pode ser ainda uma unidade do ponto de *vista moral*.[28] O termo "dualismo", por sua vez, designa a doutrina que admite ou duas substâncias fundamentais (por exemplo: *res cogitans* e *res extensa*, em Descartes) ou dois princípios primeiros e irredutíveis (por exemplo: bem e mal, natureza e graça, liberdade e determinismo).

A ideia básica da qual surge o monismo como doutrina metafísica é a concepção dos primeiros pensadores pré-socráticos de que a multiplicidade e a diversidade das coisas percebidas podem ser reduzidas a uma única substância fundamental – a *arché*, ou elemento simples de que todas as coisas são compostas. Para Tales de Mileto, a *arché* era a água; para Anaximandro, era o *ápeiron* (o ilimitado); para Anaxímenes, era o *pneuma* (o ar). Na opinião de Nietzsche,[29] o importante aqui não é a substância escolhida como princípio, mas o fato de que em todos eles está presente a ideia de que "tudo é um". Ainda no século V a.C., Parmênides deslocou audaciosamente a questão da substância para a questão do Ser, afirmando que o Ser é uno, contínuo, indivisível, imóvel, increado e eterno. Ao Ser, assim concebido, ele opõe a multiplicidade impensável do mundo sensível, para afirmar que apenas o Ser é e é pensável, enquanto que o devir sensível reduz-se a uma pura ilusão. Parmênides é o pai da doutrina monista, cujo principal representante no pensamento moderno é Spinoza.

O dualismo, se o admitimos em suas múltiplas modalidades e não apenas como dualismo substancial, também está presente desde os primórdios da filosofia. O dualismo pitagórico entre a alma imortal e o corpo perecível, ou ainda o que estabelece Empédocles entre o amor e o ódio como forças opostas que organizam o cosmo, são predecessores do dualismo que Platão vai estabelecer, no século IV a.C., entre o mundo inteligível e o mundo sensível, entre a Ideia e a coisa, entre o Modelo e a cópia, dualismo que está na base de todo o pensamento filosófico posterior. A expressão mais acabada do dualismo de substâncias, vamos encontrar no século XVII com Descartes, na oposição entre alma e corpo (*res cogitans* e *res extensa*), que marcou de maneira decisiva a filosofia moderna.

Embora se faça referência a várias formas de dualismo, aquela que caracteriza propriamente o dualismo filosófico é a que afirma a existência de duas substâncias – a material e a espiritual – por oposição ao monismo que afirma a existência de uma substância única. As outras formas de dualismo são generalizações ou extensões do significado do termo. E foi sob a forma generalizada que Freud o empregou ao afirmar sua "intuição básica dualista".

Há, porém, vários dualismos em Freud. No nível da representação, há um dualismo de princípios (princípio de prazer e princípio de realidade), há um dualismo tópico (inconsciente e pré-consciente/consciente, processos primários e processos secundários), há ainda um dualismo energético (energia livre e energia ligada); no nível das pulsões, há o dualismo entre as pulsões de vida e a pulsão de morte; e há ainda o dualismo entre as pulsões e as representações ou, para usar uma linguagem mais antiga, entre o corpo e a alma. Este último é o que mais nos aproxima da questão clássica do dualismo filosófico.

Destrutividade e sexualidade

Permaneceria, contudo, um ponto de sombra no dualismo pulsional defendido por Freud. Se a energia das pulsões de vida é a libido, qual a energia da pulsão de morte? Até então, o máximo que Freud conseguira estabelecer, quanto a este ponto, era que nenhuma das pulsões se apresenta em seu estado puro, que a pulsão de morte (que ele identificava como pulsão de destruição) e as pulsões de vida sempre estão misturadas. Apenas, enquanto as manifestações destas últimas são "numerosas e ruidosas", a pulsão de morte é invisível e silenciosa. Quando oferecia algum exemplo da ação da pulsão de morte, este era dado através do sadismo e do masoquismo (destrutividade ou agressão aliadas à sexualidade) ou então através da noção de compulsão à repetição. Ora, no primeiro caso trata-se muito mais de pulsões sexuais do que da pulsão de morte, e, no segundo caso, trata-se mais das pulsões já apropriadas pela representação do que das pulsões elas mesmas.

É somente em *O mal-estar na cultura* (1930) que Freud vai afirmar a pulsão de morte como pulsão de destruição, sendo a destruição entendida como uma "disposição pulsional autônoma, originária, do ser humano".[30] A partir desse momento, destrutividade e sexualidade passam a ser consideradas com inteira autonomia uma em relação à outra. Voltamos aqui ao ponto em que estávamos algumas páginas atrás.

A autonomia da pulsão de morte entendida como pulsão de destruição (ou *potência de destruição*) é perfeitamente consistente com a ideia de que a pulsão, por se situar além da representação, além da ordem, além do princípio de prazer, é pura dispersão, pura potência dispersa. Sob este aspecto, faz jus à afirmação de que ela é a *pulsão por excelência*. Mas nesse caso ficamos com um problema talvez ainda maior do que o anterior: como situar, agora, as pulsões sexuais? Se antes o que era problema era estabelecer o estatuto da pulsão de morte, sua autonomia em relação às pulsões sexuais e mesmo sua existência, agora o que se torna problema é o estatuto das pulsões sexuais. Se caracterizamos o sexual como aquilo que está sob a égide do princípio de prazer, então ele é algo que se encontra referido ao aparato anímico e, portanto, inerente ao espaço da representação. "Além do princípio de prazer" designaria, em decorrência, o que estaria além do sexual.

Poderíamos argumentar que essa caracterização é demasiado ampla e que além disso designa o modo de funcionamento dos processos primários, o que a remete inevitavelmente ao aparato psíquico. Se caracterizamos a sexualidade pelo princípio de prazer, estaremos forçando sua localização lógica no espaço da representação. Mas podemos fazê-lo de outra maneira? Admitir uma distinção entre pulsão de morte e pulsão sexual, anterior ou exterior ao registro da representação, não implicaria em se pretender estabelecer uma diferença qualitativa onde só há o indiferenciado da pulsão?

Se admitirmos que o campo psicanalítico é marcado por uma *Spaltung* – não aquela que separa o inconsciente do pré-consciente/consciente, mas aquela outra que separa as representações e as pulsões – e se admitirmos também que essas duas grandes regiões correspondem aos dois grandes registros da ordem e da dispersão (do acaso), não seria contraditório pretendermos estabelecer determinações internas ao registro das pulsões, isto é, à pura dispersão e ao indeterminado?

Creio que é razoável supor que qualquer determinação (e portanto limitação) ao indeterminado das pulsões, deve vir de fora, de um outro lugar que não o corpo pulsional. Esse outro lugar é o aparato psíquico, a rede de significantes que ordena o caos das pulsões.

O sexual: pulsão ou desejo?

Em si mesmas, as pulsões não possuem ordem alguma, e acredito que poucos são aqueles que ainda sustentam a ideia um tanto ingênua de uma organização decorrente do primado do genital. A única organização imposta às pulsões é a que decorre da estrutura de significantes, "e é com relação a uma situação estruturada dessa maneira que o homem tem, *num segundo tempo*, de situar suas necessidades".[31] Essas necessidades não dizem respeito à natureza sexual das pulsões, mas à exigência de satisfação. Ocorre que a satisfação só é possível se mediada pela representação: a pulsão não tem objeto próprio (ou objeto natural), seu objeto será oferecido pela fantasia, o que implica a submissão da pulsão à articulação significante, e é aí que vai ser possível a caracterização do sexual. Anteriormente a essa submissão, o sexual carece de significado. É em termos de significantes que o sexual vai se constituir como diferença.

Não há *pulsão* sexual. A sexualidade constitui-se a partir da captura das pulsões pela rede significante. O sexual pertence ao registro do desejo e não ao registro da pulsão, e enquanto tal, implica, além do imaginário, o simbólico. O real da pulsão permanece como seu suporte. O sexual é a forma ou a determinação que a pulsão vai receber, e não o atributo da pulsão ela mesma. Enquanto pura potência, a pulsão é vazia de forma, de sentido, não é nem sexual nem agressiva, nem de sociabilidade, mas pulsão, pura e simplesmente. Quando distinguimos "pulsão oral", "pulsão anal", "pulsão fálica", "pulsão escópica" etc., o que estamos fazendo é apontando a diversidade das fontes pulsionais e não estabelecendo uma diferença qualitativa com respeito às pulsões em si.

É claro que uma tal colocação da questão tem suas consequências. A primeira delas diz respeito ao dualismo pulsional tão enfaticamente defendido por Freud e que seria ameaçado; a segunda é o risco de uma *capitis diminutio* da sexualidade. Quanto à primeira consequência, creio que a ameaça poderia ser afastada se deslocássemos o ponto sobre o qual Freud faz incidir o dualismo, coisa que ele próprio fez quando substituiu o dualismo *pulsões de autoconservação x pulsões sexuais* pelo dualismo *pulsões de vida x pulsões de morte*. O risco da segunda consequência me parece menor. Trata-se também de um deslocamento, mas que em nada afeta a importância concedida pela teoria psicanalítica à sexualidade. Pelo contrário, a questão ganharia maior especificidade e a sexualidade ficaria liberta de uma referência biológica incômoda e difícil de ser sustentada teoricamente.

10. O MAL RADICAL EM FREUD

No capítulo dedicado à pulsão de morte, propus a ideia de que o verdadeiro problema de Freud em relação a este conceito não dizia respeito ao caráter natural ou não natural da pulsão de morte, mas à *autonomia* da destrutividade em relação à libido. Creio que não será excessivo retornarmos a esta questão para desenvolvê-la um pouco mais.

A naturalidade ou não naturalidade da pulsão, assim como a distinção entre pulsão de morte e pulsões sexuais, são, evidentemente, questões presentes e de extrema importância para Freud. No entanto, julgo que estas questões, a partir do texto *Além do princípio de prazer*, escamoteiam uma outra, mais fundamental, que é a do reconhecimento, por parte de Freud, da existência do *mal radical* no homem.

A insistência com que Freud afirma que a pulsão de morte e as pulsões sexuais encontram-se sempre misturadas, que é através da sexualidade que a pulsão de morte encontra alguma expressão, já que esta última é silenciosa e invisível enquanto que as pulsões sexuais são ruidosas em suas manifestações, são indiscutivelmente preocupações concernentes ao dualismo pulsional por ele defendido e ameaçado pelas propostas de Jung e pelas dificuldades do próprio Freud de encontrar uma representação psíquica para a pulsão de morte.

O cerne da questão estava em se determinar uma energia própria da pulsão de morte para que ela pudesse se distinguir claramente das pulsões sexuais, cuja energia era a libido. Freud já havia proposto a *destrutividade* como característica distintiva da morte, mas mostrava-se prudente quanto à afirmação da autonomia da destrutividade em relação à sexualidade. Na verdade, essa prudência fez com que ele adiasse por dez anos a declaração da existência de uma destrutividade autônoma no homem.[1]

Por que tanta prudência, se esta afirmação era, ao mesmo tempo a reafirmação do dualismo tão enfaticamente defendido por ele? Creio que a resposta pode estar no fato de que a aceitação de uma destrutividade autônoma corresponderia à aceitação da tese do mal radical, tese que, antes dele, já havia sido recusada por Kant.

No entanto, após tentativas mais ou menos tímidas, Freud afirma, em *O mal-estar na cultura* (1930), que "a inclinação agressiva é uma disposição pulsional autônoma, *originária*, do ser humano",[2] ou ainda, que "não podemos passar por alto a ubiquidade da agressão e destruição não eróticas".[3] Finalmente, a tese do *Homo homini lupus* torna-se explícita nos seguintes trechos:

> Sob circunstâncias propícias, quando estão ausentes as forças anímicas contrárias que a inibem, [a agressão cruel] se exterioriza também espontaneamente, desmascara os seres humanos como bestas selvagens que nem sequer respeitam os membros de sua própria espécie... Em consequência, o próximo não é somente um possível auxiliar e objeto sexual, mas a tentação para satisfazer nele a agressão, explorar sua força de trabalho sem ressarci-la, usá-la sexualmente sem seu consentimento, despojá-lo de seu patrimônio, humilhá-lo, infligir-lhe dores, martirizá-lo e assassiná-lo.[4]

A maldade original do ser humano

A partir destes trechos, a tese de uma destrutividade fundamental, de uma vontade maligna inerente ao ser humano e não tributária da sexualidade, torna-se irrecusável. Freud coloca-se assim ao lado daqueles que postularam algo a respeito da natureza moral do homem. Mais ainda, coloca-se ao lado daqueles que afirmaram uma maldade original do ser humano.

Mas o que tem isto de extraordinário para quem teve a coragem de afirmar a existência da sexualidade infantil e de sua perversidade polimorfa? Por que tanta resistência em enunciar uma tese que já havia sido defendida por tantos outros? Que novidade poderia haver nela, depois da obra de Sade?

Esta não é a única razão pela qual vai se falar numa ética da psicanálise, mas sem dúvida alguma há uma dimensão ética implicada na tese freudiana de uma maldade original do ser humano. Se isto não é suficiente para caracterizar uma *ética da psicanálise*, é contudo o bastante para se falar numa *ética em psicanálise*. Não estou, com isto, afirmando que a primeira não exista ou não seja possível, estou apenas afirmando que a mera postulação, por parte de Freud, de uma pulsão de morte entendida como pura destrutividade, não é suficiente para definir uma ética própria da psicanálise.

Há um outro aspecto ainda que não pode ser relevado. Mesmo depois de ter afirmado, no texto de 1930, a autonomia da destrutividade, Freud faz uma espécie de recuo à posição anterior e volta a afirmar, nas *Novas conferências introdutórias* (1933), o antigo dualismo entre as pulsões sexuais e as pulsões de autoconservação.[5] E mesmo quando reapresenta o novo dualismo pulsão de vida x pulsão e morte, faz questão de frisar que ele descansa sobre considerações biológicas.[6] Embora a autonomia da pulsão de morte não seja negada, persiste sua relação com o sadismo e o masoquismo, os quais Freud considera como paradigmáticos do nexo entre a pulsão de morte e as pulsões sexuais. A reedição das teses de 1920 completa-se com a reafirmação de que a pulsão de morte é uma tendência a reconduzir o ser vivo ao inorgânico. Assim, entre *O mal-estar na cultura* e a 32ª das *Novas conferências*, há um recuo tático de Freud quanto à ênfase concedida à pulsão de morte no texto de 1930.

Num de seus últimos textos, publicado depois de sua morte – o *Abriss der Psychoanalyse* –, Freud retoma a postura adotada em *O mal-estar* quanto à destrutividade. Neste texto, ele está mais próximo de *A denegação* (1925) do que do *Além do princípio de prazer* (1920), e esta proximidade não é apenas cronológica. Diz ele que, após uma longa vacilação, decidiu-se por aceitar apenas duas pulsões básicas – Eros e pulsão de destruição – situando a antiga oposição entre as pulsões sexuais e as de autoconservação no interior de Eros, além de afirmar a pulsão de destruição como uma exteriorização da pulsão de morte. Assim, voltamos à tese de duas pulsões básicas: *as pulsões sexuais* e a *pulsão de morte.*

A reaproximação ao ponto de vista defendido em *A denegação* pode ser avaliada pela sua afirmação de que a meta das pulsões sexuais "é produzir unidades cada vez maiores e, assim, conservá-las", enquanto que a meta da pulsão de morte é, "ao contrário, dissolver nexos e, assim, destruir as coisas do mundo".[7] O que temos aqui é a concepção desenvolvida no artigo sobre a *Verneinung*, segundo a qual pulsão sexual e pulsão de morte são pensadas muito mais como princípios conjuntivo e disjuntivo do que por suas referências a "considerações biológicas".[8]

Afirmar que a pulsão de morte tem por meta "desfazer nexos" ou mesmo "destruir as coisas do mundo" corresponde ao ponto de vista defendido por Lacan no *Seminário 7*, de que ela deve ser entendida como "vontade de destruição". Não propriamente "destruir as coisas do mundo", num sentido niilista ou derrotista, mas no sentido de desfazer as formas *conservadas* pelas pulsão sexual. O verdadeiro conservadorismo não é pois o da pulsão de morte e sim o da pulsão sexual. Mas para que isto possa ser afirmado sem reservas, teríamos ainda que discutir o sentido que podemos dar à frase de Freud, ainda sustentada no *Esquema da psicanálise*, segundo a qual a pulsão de morte é pensada em termos de retorno ao inorgânico.

Seria fácil dizer que "retorno ao inorgânico" deve ser entendido como "dissolução das organizações estabelecidas" para que novas formas ou novas uniões possam se produzir. A pulsão de morte teria então por meta superar a monotonia sem fim da pulsão sexual enquanto reprodutora do "mesmo", evidentemente não num sentido teleológico de tipo metafísico, mas no sentido de que as próprias formas se saturariam e dariam condições para uma ação mais manifesta da pulsão de morte.

Mas seria o caso de perguntarmos se este teria sido de fato o ponto de vista de Freud, se não estaríamos nos apropriando de seu texto segundo uma direção que é a nossa? Creio que a questão é ociosa. Ou a apropriação é inteiramente absurda e sem sentido, ou os textos de Freud permitem bifurcações tais que tornam essa apropriação legítima.

Kant e o mal radical

Recoloquemos pois a nossa questão: é o conceito de pulsão de morte tributário da tese da existência do mal radical no homem? Como conceber esse mal radical?

Vimos que conceber a pulsão de morte como destrutividade autônoma, "vontade de destruição" como a nomeia Lacan no *Seminário 7*, corresponde à aceitação de uma maldade originária no homem, maldade esta que se exerce não em nome do princípio de prazer ou que se coloque a serviço da sexualidade, mas que se afirma independentemente de ambos. Se conferirmos a esta destrutividade o signo do negativo, teríamos que admitir uma negatividade positiva ou uma positividade da negatividade.

Sabemos quanto foi insuportável para a filosofia, durante muito tempo, a aceitação de uma maldade originária no homem. Desde santo Agostinho, para quem não havia um mal substancial, passando por Spinoza e Leibniz, o mal foi pensado como falta ou como defeito, isto é, como algo que não tem positividade própria.

É Kant, em *A religião dentro dos limites da simples razão* (1793), que vai situar o problema do mal radical fora dos limites de uma teodiceia. No *Ensaio para introduzir em filosofia o conceito de grandezas negativas*, de 1763, Kant já afirmava que o mal, assim como o vício, não são apenas uma ausência de bem, não têm apenas um caráter negativo, mas que devem ser pensados em termos de uma *resistência* ao bem, portanto, como algo que tem uma positividade. E a fonte desta positividade é a nossa própria vontade, ou seja, algo ligado à liberdade do homem.[9] Isto não significa uma aceitação por parte de Kant do conceito de *vontade maligna*, conceito que para ele implica uma contradição lógica, mas abre caminho para sua discussão no nível de uma razão prática.

Oposição lógica e oposição real

O que está em questão aqui é a possibilidade de uma ação ter como meta a destruição sistemática, sem cair numa contradição lógica. Uma solução possível é sugerida pelo próprio Kant ao fazer a distinção entre *oposição lógica* e *oposição real*.[10]

É preciso não esquecermos que, para Kant, a razão é suprassensível mas não é supranatural, e que toda coisa situada na natureza age segundo leis. A diferença entre *seres racionais* e *coisas situadas na natureza* é que, embora ambos sejam regidos por leis, apenas os seres racionais são capazes de agir segundo a representação que eles se fazem da lei. Daí a liberdade da vontade.

O que Kant vai afirmar em seus últimos escritos, principalmente em *A religião dentro dos limites da simples razão*, é que o homem pode inverter as máximas de sua ação, vinculando-as a uma lei moral perversa que o leva a agir não somente *para* o mal mas *pelo* mal.[11] Esta inversão, ou se preferirmos, este deslocamento, conduz a um conceito de homem diferente daquele que foi defendido pelo próprio Kant, já que implica a possibilidade de uma liberdade concebida negativamente. Daí a importância da distinção a que me referi acima, entre *oposição lógica* e *oposição real.*

A oposição lógica é a expressão direta do princípio de não contradição, segundo o qual dois predicados opostos não podem pertencer simultaneamente ao mesmo sujeito. A oposição real é aquela que expressa a efetividade de duas realidades opostas porém coexistentes no mesmo sujeito, uma tentando suprimir ou negar a outra, sem que no entanto sejam contraditórias.[12]

Mal por falta e mal por privação

Essa distinção entre os dois tipos de oposição tem como correlato uma outra feita por Kant no *Ensaio para introduzir em filosofia o conceito de grandezas negativas*:[13] a distinção entre *mal por falta e mal por privação.* O mal por falta (*defectus*, *absentia*) é pura negatividade, pura ausência (ausência de bem), não implica um princípio positivo, caracterizando-se precisamente pela ausência de um princípio positivo, enquanto que o mal por privação tem positividade própria, implica um verdadeiro princípio de posição semelhante ao que lhe é oposto. Caracteriza, desta forma, uma positividade do negativo.[14]

O exemplo que Kant utiliza é retirado da psicologia e é bastante significativo para o nosso caso. Trata-se de saber se o desprazer é apenas uma ausência de prazer ou se é um princípio de privação do prazer, isto é, se o desprazer é algo de positivo em si mesmo ou se é apenas o contrário do prazer. Kant chega à conclusão de que o desprazer é um *prazer negativo*, não no sentido de uma oposição lógica mas no sentido de uma oposição real. O desprazer é um sentimento positivo e não apenas uma ausência de prazer. A ausência de prazer, assim como a do desprazer, chama-se *indiferença*. O zero que resulta da indiferença é distinto daquele que resulta do equilíbrio da oposição prazer-desprazer: no primeiro caso temos uma simples oposição lógica, no segundo temos uma oposição real.

Foi a negligência dos filósofos quanto a essa distinção entre oposição lógica e oposição real que fez com que a filosofia durante tanto tempo tenha considerado o mal apenas como negação (*mala defectus*) e não como privação (*mala privationis*). O mal como privação, como oposição real ao bem, implica um princípio positivo, razão pela qual poderia ser considerado como um bem negativo, isto é, supõe uma razão positiva que suprime o bem.[15]

A partir deste ponto, Kant teria condições de postular uma *vontade maligna* no homem, sem que sua concepção de liberdade incorresse em contradição lógica, Mas para que isto fosse possível, ele teria que afirmar uma nova concepção do homem, a de um homem que contivesse em si mesmo, não como pura falta mas como positividade, essa vontade maligna, e era exatamente a admissão dessa natureza demoníaca no homem que era insuportável para Kant.

A malignidade como desvio e não como lei

O conceito de *mal radical* não define para Kant a natureza humana. Esta será definida pelo fundamento subjetivo do uso da liberdade, isto é, pelo fato de que no homem nenhum impulso natural é determinante de seu arbítrio.[16] O mal radical é definido como uma *propensão* inata à natureza humana, entendo-se por *propensão* apenas uma *predisposição*, "o fundamento subjetivo da possibilidade de uma inclinação enquanto contingente à humanidade em geral".[17] Portanto, uma propensão é uma predisposição que dá lugar a uma inclinação, a uma ação. Não se trata da negação da lei moral estabelecida na *Crítica da razão prática*, mas de uma disposição ou predisposição de um desvio da máxima em relação à lei.[18]

Essa propensão pode se apresentar sob três formas distintas, segundo Kant: 1. Como uma fragilidade (*fragilitas*) da natureza humana para seguir as máximas adotadas; 2. Como propensão a mesclar motivos impulsores imorais com os morais (*impunitas*); 3. Como malignidade da natureza humana (*vitiositas*).[19] Essa malignidade não é concebida por ele como uma vontade maligna originária no homem, mas sim como uma *propensão* ou predisposição, fundada na liberdade da vontade, para inverter a ordem moral. Trata-se de uma malignidade entendida como *desvio* e não como lei original. "A tese 'o homem é mau' não pode querer dizer, segundo o que precede, outra coisa que: o homem se dá conta da lei moral e, no entanto, admite em sua máxima o desvio ocasional com respeito a ela."[20]

A afirmação do mal radical não faz do homem um ser diabólico. "Radical", aqui, não é sinônimo de absoluto ou de necessário, mas designa o fato de uma disposição subjetiva inerente à natureza humana a qual pode, pela liberdade da vontade, desviar-se da lei moral. Sua natureza *radical* reside em sua possibilidade de corromper o fundamento de todas as máximas, o que não significa que essa propensão ao mal vá prevalecer sobre a lei moral universal. A malignidade da natureza humana não deve ser entendida, segundo Kant, como um *princípio*, mas como desvio ou perversidade. Kant fala em *perversidade do coração* ou ainda em *mal do coração*.[21]

A tese "o homem é mau", em Kant, não afirma um princípio, mas uma inclinação, uma propensão ou uma tendência. Portanto, algo bem distinto da pulsão de morte em Freud.

Freud e Kant

A principal diferença entre o *mal radical* kantiano e a *destrutividade* freudiana reside no fato de que esta última não é considerada como uma propensão, inclinação ou tendência, mas como um *princípio*, isto é, como algo que está presente a cada momento regendo cada começo.

Ao comentar a concepção da pulsão de morte entendida como "tendência ao retorno ao inanimado", Lacan[22] afirma que não é disso que se trata na concepção psicanalítica da pulsão. "A pulsão, como tal, e uma vez que é então pulsão de destruição, deve estar para além da tendência ao retorno ao inanimado. Ela não poderia ser senão uma vontade de destruição direta..."

Talvez seja interessante assinalar que o próprio Freud não fala em *tendência* e sim em *esforço* (*Drang*) ou impulso, como preferem os tradutores brasileiros: "Uma pulsão seria então um esforço, inerente ao orgânico vivo, de reprodução de um estado anterior."[23]

É a afirmação da pulsão de morte como um *princípio* e não como uma *tendência* que nos permite compreender sua postulação por Lacan como vontade de destruição, "vontade de criação a partir de nada, vontade de recomeçar".[24] Se o objetivo de Eros é unir e manter as uniões, portanto, uma função conservadora, o objetivo da pulsão de morte é manter as forças disjuntivas que impedem a perenização dessas uniões. Se houvesse a ação exclusiva de Eros, todas as diferenças se dissolveriam numa grande unidade final, o que significaria o desaparecimento do sujeito e do desejo, já que ambos só podem ser concebidos como diferenças.

Não ceder de seu desejo

Essa é a razão pela qual Lacan afirma que se há uma ética da psicanálise, sua questão fundamental deverá ser: *Agiste conforme o desejo que te habita?*[25] Não ceder de seu desejo, esta é a exigência fundamental de uma ética da psicanálise. No entanto, não ceder de seu desejo é também não ceder de sua diferença, é não abrir mão de ser sujeito. Daí, a questão colocada acima, referente a Eros e à pulsão de morte. Eros é o que ordena os seres humanos a se unirem numa massa cada vez mais indiferenciada,[26] e o preço dessa união global da humanidade é não apenas o da renúncia pulsional (do pulsional destrutivo) mas ainda o de um crescente sentimento de culpa. É a pulsão de morte, enquanto princípio disjuntivo, que responde pela constituição das diferenças. Por Eros, não apenas tenderíamos a dissolver as diferenças numa grande união final, a humanidade concebida como um absoluto, como sequer conseguiríamos sair do estado inicial de um narcisismo original, estado afetivo indiferenciado, anterior à constituição do eu.

A ideia da pulsão de morte, ou da negação, como responsável pela determinação, contém uma inegável alusão a Spinoza ou a Hegel. Não devemos nos esquecer de que para o primeiro, *determinatio negatio est*, a determinação é negação, e que para o segundo, o sujeito tem seu fundamento na negatividade. Lacan sabia muito bem disto, e é precisamente por que sabia que "todo mundo é hegeliano sem sabê-lo,[27] que foi capaz de fazer sua *Aufhebung* em relação a Hegel.

A positividade da negatividade

A concepção da pulsão de morte como vontade de destruição guarda alguma semelhança com o conceito de *negação determinada* de Hegel.

Quando Hegel faz da *negatividade* uma categoria ontológica fundamental, ele a distingue cuidadosamente da negação absoluta, para falar da *positividade da negação.* É ao negar a natureza, assimilando-a e transformando-a, que o homem se constitui como homem. A negatividade é pois ação criadora, ação que permite à consciência humana superar-se, "ir mais além" de si própria, colocando sua própria morte. Essa morte, que para o ser natural é sempre uma morte externa, o homem porta em si mesmo. Não é a negação absoluta que está em jogo aqui, mas a negação determinada, portadora de positividade e inseparável da vida enquanto vida humana. Essa negatividade determinada – ou parcial – não se confunde com o negativo puro, não é um puro nada abstrato, mas a marca da finitude do ser humano. É neste ponto que Hegel se aproxima de Spinoza,[28] e é neste ponto que Lacan se aproxima de ambos.

A *vontade de destruição* de que nos fala Lacan também não deve ser confundida com destruição absoluta ou com negação absoluta. "Não deem absolutamente relevância ao termo vontade (...) não se trata de nada que seja da ordem de uma *Wille* fundamental",[29] não é de Schopenhauer que se trata aqui, diz ele. A vontade de destruição que caracteriza a pulsão de morte é o que põe em causa tudo o que existe, o que impede a cristalização das formas constituídas, o que possibilita novos começos. *Vontade de destruição* é aqui *vontade de criação.* Se pulsão de morte é negatividade, ela é a positividade da negatividade. Não é um niilismo que Lacan está nos propondo. Tal como Hegel, ele nos aponta um para-além da natureza, e se algum *nihilo* é colocado, é o *ex-nihilo* da cadeia significante, ponto de criação a partir do qual a pulsão é possível.[30] Para a psicanálise, *no começo era o Verbo.*

O bem supremo

O que o conceito de pulsão de morte coloca aos que se esforçam para apreender o seu sentido não é a ideia de uma vontade maligna originária no homem, a confirmação ontológica da fantasia sadiana, mas sim a tese de que o pulsional não contém em si nada, nenhuma indicação, que nos torne capazes de diferenciar o bem do mal.

O bem para o sujeito não é algo que se coloca no registro da pulsão, mas algo que resulta de uma composição significante e que diz respeito aos trilhamentos inconscientes, ao sistema significante dos elementos inconscientes.[31] Se o bem ao qual o sujeito aspira é *das Ding*, suas escolhas se dão no nível do princípio do prazer, isto é, no nível definido pelo desejo, e o que aí se apresenta não é *das Ding* mas *die Sache*. O bem ao qual o sujeito aspira coloca-se como um horizonte na direção do qual, ou aquém do qual, o princípio de prazer regula os objetos do desejo.

Lacan compara o *das Ding* freudiano à *causa noumenon* kantiana.[32] *Das Ding* é o *Gute*, o bem que se encontra para além do princípio de prazer, e tal como o *noumena* kantiano, é o inapreensível, o inatingível. Assim, no nível das *Vorstellungsrepräsentanzen*, nada encontramos de *das Ding* que possa ser indicativo do bom ou do mau objeto. *Das Ding* não é o objeto do desejo, mas o bem supremo em relação ao qual os objetos do desejo se constituem e se oferecem, como pretendentes legítimos à pulsão. Mas entre o objeto do desejo e *das Ding* há uma diferença fundamental, que é o fato do primeiro ser inseparável das elaborações imaginárias, das sublimações impostas pela cultura, das fantasias do sujeito. *Das Ding* é outra coisa, além de se encontrar em outro lugar, e só pode ser representada por um vazio. Na opinião de Lacan, por referência a esse vazio, tomam forma a arte, a religião e a ciência. A primeira, organizando-se em torno desse vazio; a segunda, evitando esse vazio; e a terceira, recusando o vazio – *Verdrängung*, *Verschiebung* e *Verwerfung*.[33]

A ética da psicanálise

É por referência a esse vazio que pode ser concebida uma ética da psicanálise. Não no sentido de ele ser preenchido por um objeto absoluto a nos ser oferecido como prêmio por amarmos o próximo como a nós mesmos, mas no sentido de entendermos que ele é o impossível, assim como o mandamento "Ama o próximo como a ti mesmo" é incumprível. Daí Freud dizer que, ou a virtude será recompensada aqui na Terra ou é vão predicar-se uma ética.[34] Não há nenhuma capacidade natural que nos oriente na distinção entre o que é bom e o que é mau, e a pergunta "Como ser bom?", quando dirigida à cultura ou a nós mesmos, tem como resposta o que Lacan denomina de moral do serviço dos bens.[35] Obviamente, o bem em questão é o bem do outro, e o que Freud nos mostra é que agir segundo essa moral não nos livra da culpa, ao contrário, quanto mais nos fazemos dóceis às exigências da cultura, mais ela nos exige. O supereu não é complacente com os bons, e, mais ainda, o supereu não é justo com os bons. É o que Freud nos mostra em *O mal-estar na cultura*.

Nos dois últimos capítulos de *O mal-estar*, o grande inimigo não é mais a libido mas a destrutividade, é ela que é apontada como a fonte do sentimento de culpa. Como tornar inócua essa destrutividade originária no ser humano? A resposta de Freud é que ela é interiorizada, reenviada a seu ponto de partida, voltada contra o próprio eu transformada em supereu. Da tensão entre esse supereu tirânico e o eu que a ele se submete, resulta o sentimento de culpa: o mal-estar engendrado pela cultura.

Se nos textos anteriores Freud apresentava o sentimento de culpa como uma reação à sexualidade, agora ele é visto como uma reação à destrutividade, à maldade presente no ser humano. "Uma pessoa sente-se culpada (os crentes dizem: em pecado) quando fez algo que discerne como 'mau'",[36] mas ela se dá conta também de que não precisa ter feito algo de mau, que a simples intenção de fazê-la já é suficiente para que se sinta culpada. O que é evidente, em qualquer dos casos, é que ela foi capaz de discernir o mal.

E o que é o mal? Não é necessariamente aquilo que é prejudicial ao eu, responde Freud, pode ser, ao contrário, algo prazeroso e desejado por ele. É portanto o outro que vai decidir sobre o que deve ser considerado como bom ou mau. Este é o sentido do chamado *serviço dos bens*. Não é algo que diga respeito ao desejo do sujeito mas ao bem do outro, e para que o bem do outro seja atendido, é necessário que o sujeito *ceda do seu desejo*.

Mas por que o sujeito cede a essa exigência do outro? Em *Introdução do narcisismo*, Freud já dizia que escolhemos inicialmente, como objeto de amor, a mulher que nos alimenta e o homem que nos protege. É isto que tememos perder e que faz com que nos submetamos às exigências do outro: a angústia frente à perda de amor. "O mal é, num começo, aquilo pelo qual a pessoa é ameaçada com a perda de amor", reafirma Freud em *O mal-estar*.[37]

É essa angústia que nos obriga a uma renúncia do pulsional, sendo que cada renúncia alimenta a consciência moral tornando-a mais severa e intolerante, o que provoca novas renúncias. "Cada fragmento de agressão de cuja satisfação nos abstemos é assumido pelo supereu e aumenta sua agressão (contra o eu)."[38] Essa dívida com o supereu jamais será saldada, e o mito freudiano do assassinato do pai, elaborado em *Totem e tabu*, é a este respeito exemplar. Com o assassinato do pai, o que se abre para o homem não é o acesso ao gozo, mas o incremento da interdição e a instituição da lei. E, como vimos acima, pouco importa que o pai tenha sido efetivamente morto ou não, em qualquer dos casos nos sentiremos culpados, "pois o sentimento de culpa é a expressão do conflito de ambivalência, da luta eterna entre Eros e a pulsão de destruição ou de morte".[39]

O que Freud nos diz em *O mal-estar* é que o gozo é um mal e que assim como cada fragmento de agressão do qual nos abstemos aumenta a agressão do supereu contra o eu, cada fragmento de gozo exercido constitui-se como um incremento dessa dívida insaldável, já que esse gozo só nos é acessível pela transgressão, ou, mais precisamente, ele será propriamente o gozo da transgressão. Não é sem razão que Freud afirma que a ética deve ser concebida como um ensaio terapêutico.[40]

Notas

Prólogo

1. "Wenden wir uns nun von der biologischen Seite her der Betrachtung des Seelenlebens zu, so erscheint uns der *Trieb* als ein Grenzbegriff zwischen Seelischem und Somatischem..." (S. Freud. *Gesammelte Werke*, X, p.214).
2. S. Freud."Os instintos e suas virtudes", vol.XIV, p.142 (o grifo é meu).
3. Cf. a tradução publicada por Amorrortu Editores.
4. L.A. Garcia-Roza. *Acaso e repetição em psicanálise*. Rio de Janeiro, Zahar, 2003.

1. Uma ficção

1. O empirismo ao qual estou me referindo não é, evidentemente, o de Hume, para o qual não existe uma natureza humana anterior às impressões.
2. Claro está que não estou pretendendo traçar a gênese da linguagem, mas apenas afirmar o fato de sua emergência.
3. J. Lacan. *O Seminário*, livro 11, p.156.
4. S. Freud. "Além do princípio de prazer", AE, vol.XVIII, p.38.

2. Sobre a natureza

1. C. Rosset. *A Anti-natureza*, p. 216.
2. Op.cit., p.217.
3. Cf. E. Bréhier. *Historia de la filosofia*, vol.1, p.342.
4. G. Rodier. *Études de philosophie grecque*, p.171.
5. Op.cit., p.172.
6. Aristóteles. *Ética a Nicômaco*, 1140a.
7. L.A. Garcia-Roza. *Acaso e repetição em psicanálise*, p.19.

8. D. de Laercio. *Vida y doctrina de los grandes filosofos de la Antiguedad*, p.324.
9. J. Burnet. *L'Aurore de la philosophie grecque*, cap.IX.
10. Cf. C. Rosset. *Logique du pire*, apêndice.
11. G. Deleuze. *Lógica do sentido*, p.274.
12. Sobre Duns Scor, remeto o leitor ao trabalho de E. Gilson. "La matière", in *Jean Duns Scot*, cap.VI.
13. *Opus Oxoniense*; I, II, d.12, q.l, n. 13 (citado por E. Gilson, op.cit., p.436).
14. E. Gilson. Op.cit., p.435.
15. Santo Agostinho. *Confissões*, XII, 3.

3. Ordem e acaso

1. Stengers. *D'Une science à l'autre*, p.222.
2. A. Koyré. "Galileo and Plato", in A. Koyté. *Metaphysics and Measurement.*
3. I. Prigogine e I. Stengers, "Introduction", in *La nouvelle alliance.*
4. I. Prigogine e I. Stengers, *A nova aliança*, p.141.
5. J. Monod. *Acaso e necessidade.*
6. Op.cit., p.120-2.
7. Op.cit., p.137.
8. Op.cit., p.130.
9. L.A. Garcia-Roza. *Acaso e repetição em psicanálise*, p.41.
10. Tomás de Aquino. *Súmula contra os gentios*, livro 3, cap.74.
11. J. Monod. Op.cit., p.163.
12. Op.cit., p.190.
13. I. Prigogine e I. Stengers, *A nova aliança*, p.4.
14. I. Stengers. "Ordre", in *D'une science à l'autre*, p.222.
15. M. Planck. *L'Image du monde dons la physique moderne*, p.56.
16. Cf. E. Morin. *La méthode*, I. cap.1.
17. Cf. H. von Foerster. "On self-organizing systems and their environments", in *Self-Orgonizing Systems*; H. Atlan. "Du bruit comme principe d'autoorganisation", *Communications* n.18, p.21-35 (citado por Morin, op.cit.).
18. Cf. E. Morin. Op.cit., cap.1, B.
19. Ibid.
20. Ibid.
21. Ibid.

4. Corpo do simbólico e corpo pulsional

1. S. Freud. AE, vol.XIV, p.119.
2. S. Freud. AE; vol.XXIII, p.146.
3. Ibid.
4. J. Lacan. *Le seminaire*, livre VII, p.152 (o grifo é meu).
5. J. Lacan. "Radiophonie", *Scilicet 2/3*.
6. Op.cit.
7. Cf. E. Bréhier. *La théorie des incorporels dans l'ancien stoicisme.*
8. G. Deleuze. *Lógica do sentido*, p.26.
9. Op.cit., p.152.
10. E. Husserl. *Ideen*, parágrafo 89.
11. Op.cit., parágrafo 97.
12. J. Lacan. *Scilicet 2/3*, p.61.
13. J. Lacan. *O Seminário*, livro 7, p.255-6 (*o grifo é meu*).

5. O objeto absoluto falta

1. S. Freud. AE, vol.XIV, p.118; *GW*, vol.X, p.215; *ESB*, vol. XIV, p. 142.
2. Ibid.
3. Cf. A. Juranville. *Lacan e a filosofia*, p.152s.
4. Op.cit., p.189
5. J. Lacan. *O Seminário*, livro 11, p.44.
6. J. Lacan. *L'Objet de la psychanalyse*, citado por J. Nasio in *A criança magnífica da psicanálise*, p.62.
7. S. Freud. AE, vol.XIV, p.118.
8. J. Lacan. *O Seminário*, livro 7, p.108.
9. J. Lacan. *O Seminário*, livro 11, p.56-7.
10. J. Lacan. *O Seminário*, livro 7, p.110.
11. S. Freud. Op.cit., vol.XIV, p.91.
12. S. Freud. AE, vol.XXI, p.79.
13. Ibid.
14. S. Freud. AE. vol.VII. p.194.
15. J. Lacan. *O Seminário*, livro 7. p.110.
16. Ibid.

6. Em busca da coisa perdida

1. Cf. E. Cassirer. *El problema del conocimiento*, vol.II, p.691.
2. I. Kant. *Crítica da razão pura*, Introdução, p.29-30.
3. Cf. F.Grayeff. *Exposição e interpretação da filosofia teórica de Kant*, p.78
4. I. Kant. *Crítica da razão pura*, P.II, L.II, cap.III, p.307.
5. B. Spinoza. *Ética*, I, proposição XXIX, escólio.
6. I. Kant. Op.cit., "Dialética", I. II, cap. II, III, p.572.
7. Ibid.
8. I. Kant. Op.cit., p.574.
9. Op.cit., p.575.
10. Cf, E. Roudinesco. *História da psicanálise na França*, vol.2, p.319.
11. Ver a este respeito: J.-P. Sartre. *L'imaginaire*, cap.I.
12. M. Heidegger. "La chose", in *Essais et conférences.*
13. Para o que se segue, ver Heidegger, op.cit.
14. Op.cit., p.203.
15. Cf. G. Deleuze. *Proust et les signes*, cap.1.
16. J. Lacan. *O Seminário*, livro 7, p.60.
17. A relação da *Vorstellung* com o inconsciente será analisada em capítulo posterior.
18. L.A. Garcia-Roza. *Freud e o inconsciente*, p.116s.
19. J. Lacan. *O Seminário*. livro 7, p.86.
20. Op.cit., p.82.
21. Op.cit., p.62.
22. J. Lacan. *O Seminário,* livro 11, p.160.
23. J. Lacan. *O Seminário*, livro 7, p.139.
24. S. Freud. "Projeto de 1895", parte I, XVI; parte III, I; e parte III, IV.
25. J. Lacan. *O Seminário*, livro 7. p.128.
26. Op.cit., p.128.
27. Op.cit., p.91.

7. A realidade e o princípio de realidade

1. Platão, *A República*, 596; *O Sofista*, 265; *Timeu*, 30-1.
2. Cf. G. Deleuze, G."Platão e os simulacros", in *Lógica do sentido.*
3. H. Joly. *Le renversement platonicien*, cap.1, discorda dessa dissociação entre o conhecimento e a linguagem ou entre o discurso e a intuição.
4. Cf. J. Lacan. *O Seminário*, livro 7, p.32.

5. S.Freud. "O Projeto de 1895", parte I.
6. Para uma exposição mais detalhada do aparelho psíquico do *Projeto*, ver: L.A. Garcia-Roza. *Freud e o inconsciente*, p.46s.
7. J. Lacan. *O Seminário*, livro 7, p.43-4.
8. Op.cit., p.53.
9. Cf. L.A. Garcia-Roza. *Acaso e repetição em psicanálise*, p.109-10.
10. S.Freud. "Projeto de 1895", AE, p.368.
11. Op.cit., p.363.
12. Op.cit., p.371.
13. O emprego destes termos é para deixar claro que em ambos os casos trata-se de representações – *Vorstellungen*.
14. S.Freud. Op.cit., p.370-8.
15. S.Freud. Op.cit., p.376-7.
16. J. Hyppolite. "Comentario hablado sobre la *Verneinung* de Freud", in J. Lacan. *Escritos*.

8. O inconsciente e a Vorstellung

1. J. Lacan. *O Seminário*, livro 11, p.26 (o grifo é meu).
2. F. Brentano. *Psychologie du point de vue empirique*, p.102.
3. Op.cit., p.114.
4. Op.cit., p.114, n.2.
5. Há um apêndice de James Strachey sobre o assunto no volume VIII das *ESB*.
6. Para o que se segue, aproveito-me da orientação dada por M. Safouan no cap.2 de *L'echec du principe du plaisir*.
7. F. Brentano. Op.cit., "Des objets vrais et des objets fictifs".
8. Citado por M. Safouan. Op.cit., cap.2.
9. J. Lacan. *O Seminário*, livro 7, p.172.
10. J. Lacan. "Position de l'inconscient", in *Écrits* (o grifo é meu).
11. J. Lacan. *O Seminário*, livro 11. p.209.
12. Aristóteles. *La métaphysique*, T.II, p.492 , n.2.
13. Ver nota 9.

9. Pulsão de morte

1. J. Lacan. *O Seminário*, livro 11, cap.XVII.
2. S.Freud. "Três ensaios sobre a sexualidade". AE, p.199; "Introdução ao narcisismo". AE, p.73; *Conferências introdutórias*. AE, p.50; "O Eu e o Id". AE, p.63s.
3. J. Lacan. *O Seminário*, livro 11, p.56.
4. Op.cit., p.62.
5. Op.cit., p.56.
6. Op.cit., p.62.
7. L.A. Garcia-Roza. *Acaso e repetição em psicanálise*, cap.3.
8. Para uma análise exaustiva deste tema, ver G.Deleuze. *Différence et répétition*.
9. J. Lacan. *O Seminário*, livro 7, p.259.
10. S.Freud. "Além do princípio de prazer". AE, p.51.
11. Op.cit., p.60.
12. S.Freud. "O mal-estar na cultura". AE, p.116.
13. Op.cit., p.108.
14. Op.cit., p.117.
15. J. Lacan. *O Seminário*, livro 7. p.260.
16. J. Hyppolite. "Comentario hablado sobre la *Verneinung* de Freud", in J. Lacan. *Escritos 2*.
17. J. Lacan. *O Seminário*, livro 1, p.260.
18. Op.cit., p.257-8.
19. S.Freud. "O mal-estar na cultura". AE, p.117.
20. S.Freud. "Pulsões e destinos das pulsões". AE, p.114.
21. S.Freud. "O inconsciente". AE, p.173.
22. S.Freud. "Pulsões e destinos das pulsões". AE, p.118.
23. Ibid.
24. Op.cit., p.122.
25. Op.cit., p.119.
26. S.Freud. AE, vol.XI, p.212.
27. S.Freud. "O Eu e o Id". AE, vol.XIX, p.47.
28. Cf. A. Lalande. *Vocabulaire technique et critique de la philosophie*.
29. F. Nietzsche. *A filosofia na época trágica dos gregos*, parágrafo 3.
30. S.Freud. "O mal-estar na cultura". AE, p.117.
31. J. Lacan. *O Seminário*, livro 7, p.256 (o grifo é meu).

10. O mal radical em Freud

1. A afirmação da autonomia da destrutividade somente vai ser feita, de forma explícita, em "O mal-estar na cultura", 1930.
2. S. Freud. "O mal-estar na cultura". AE, p.117.
3. S. Freud. Op.cit., p.116.
4. S. Freud. Op.cit., p.108.
5. S. Freud. *Novas conferências de introdução*, AE, p.90.
6. S. Freud. Op.cit., p.95.
7. S. Freud. "Esquema da psicanálise", AE, p.146.
8. Ver a este respeito: L.A. Garcia-Roza. *Acaso e repetição em psicanálise*, cap.8.
9. Cf. F. Alquié. *La morale de Kant.*
10. Cf. D.L. Rosenfield. *Do mal.*
11. Op.cit., p.57.
12. I. Kant. *Essai pour introduire en philosophie le concept de grandeur négative*, p.19.
13. I. Kant. Op.cit., p.28 e 33.
14. D.L. Rosenfield. Op.cit., p.57.
15. I. Kant. Op.cit., p.33.
16. I. Kant. *La religion dentro de los limites de la mera razón*, p.31.
17. Op.cit., p.37.
18. Kant distingue *máximas* de *leis práticas*; as primeiras sendo subjetivas e individuais, e as segundas sendo objetivas e válidas para todos os indivíduos.
19. I. Kant. Op.cit., p.38.
20. Op.cit., p.41.
21. Op.cit., p.47.
22. J. Lacan. *O Seminário*, livro 7, p.259.
23. "Ein Trieb wäre also ein dem belebten Organischen innewohnender *Drang* zur Wiederherstellung eines früheren Zustandes", in S. Freud. *Gesammelte Werke* XIII, p.38. (o grifo é meu).
24. J. Lacan. Op.cit., p.260.
25. J. Lacan. Op.cit., p.376.
26. Cf. S.Freud. "O mal-estar na cultura", AE, vol.XXI, p.128.
27. J. Lacan. *O Seminário*, livro 2, p.97.
28. Este ponto foi analisado por mim anteriormente em *Acaso e repetição em psicanálise*, p.96-105.
29. J. Lacan. *O Seminário*, livro 7, p.259.
30. Op.cit., p.260-1.

31. Op.cit., p.92.
32. Op.cit., p.93.
33. Op.cit., p.162-3.
34. S.Freud. "O mal-estar na cultura", AE, vol.XXI, p.138.
35. J. Lacan. Op.cit., p.378.
36. S.Freud. Op.cit., p.120.
37. Ibid.
38. Op.cit., p.125.
39. Op.cit., p.128.
40. Op.cit., p.137.

Obras citadas

Aristóteles. *Éthique a Nicomaque*. Paris, Vrin, 1987. [Ed. bras.: *Ética a Nicômaco*, Brasília, UNB, 1985.]

______. *La métaphysique*. Paris, Vrin, 1986.

Agostinho. *Confissões*. São Paulo, Abril, 1980.

Alquié, F. *La morale de Kant*. Paris, Centre de Documentation Universitaire de la Sorbonne, s/d.

Atlan, H. "Du bruit comme principe d'auto-organisation" in *Communications n.18*, 1972.

Assoun, P-L. et al. *Aspectos del malestar en la cultura*; Buenos Aires, Manancial, 1989.

Bréhier, E. *Chrysippe et l'ancien stoicisme*. Paris, PUF, 1951.

______. *Historia de la filosofía*. Buenos Aires, Sudamericana, 1956.

______. *La théorie des incorporels dans l'ancien stoïcisme*. Paris, Vrin, 1970.

Brentano, F. *Psychologie du point de vue empirique*. Paris, Aubier, 1944.

Burnet, J. *L'Aurore de la philosophie grecque*. Paris, Payot, 1952.

Bassin, B. *Positions de la sophistique*. Paris, Vrin, 1986.

Cassirer, E. *El problema del conocimiento*. México, FCE, 1953.

Deleuze, G. *Proust et les signes*. Paris, PUF, 1964.

______. "Platão e os simulacros", in *Lógica do sentido*. São Paulo, Perspectiva, 1974.

______. *Différence et repetition*. Paris, PUF, 1968.

______. *Lógica do sentido*. São Paulo, Perspectiva, 1974.

Dodds, E.R. *Os gregos e o irracional*. Lisboa, Gradiva, 1988.

Foerster, H. von. "On self-organizing systems and their environments" in *Self Organizing Systems*. Nova York, Pergamon, 1960.

Freud, S. *Gesammelte Werke* (18 vols.). Londres, Imago, 1952.

______. "A interpretação das afasias" [1891]. Lisboa, Edições 70, 1979.

______. "Vue d'ensemble de transfert". Paris, Gallimard, 1986.

______. AE (Amorrortu Editores). *Sigmund Freud – Obras Completas*, Buenos Aires, 1976 [os volumes relacionados abaixo referem-se a essa edição].

______. "Proyeto de psicologia", 1950 [1895].

______. "Tres ensayos de teoria sexual", vol.VII, 1905.

______. "El creador literario y el fantaseo", vol.IX, 1908.
______. "La moral sexual 'cultural' y la nerviosidad moderna", vol.IX, 1908.
______. "Sobre el sentido antitético de las palabras primitivas", vol.XI, 1910.
______. "La perturbación psicógena de la vision según el psicoanálisis", vol.XI, 1910.
______. "Recordar, repetir y reelaborar", vol.XII, 1914.
______. "Formulaciones sobre los dos princípios del acaecer psíquico", vol.XII, 1911.
______. *Tótem y tabú*, vol.XIII, 1913.
______. "Introducción del narcisismo", vol.XIV, 1914.
______. "Pulsiones y destinos de pulsión", vol.XIV, 1915.
______. "La represión", vol.XIV, 1915.
______. "Lo inconciente", vol.XIV, 1915.
______. "De guerra y muerte", vol.XIV, 1915.
______. "Lo ominoso", vol.XVII, 1919.
______. "Más allá del principio de placer", vol.XVIII, 1920.
______. "El yo y el ello", vol.XIX, 1923.
______. "El problema económico del masoquismo", vol.XIX, 1924.
______. "La negación", vol.XIX, 1925.
______. *El porvenir de una ilusión*, vol.XXI, 1927.
______. "El malestar en la cultura", vol.XXI, 1930.
______. "Dostoievski y el parricidio", vol.XXI, 1928.
______. "Nuevas conferencias de introducción al psicoanálisis", vol.XXII, 1933.
______. "Por qué la guerra?", vol.XXII, 1933.
______. *Moisés y la religión monoteísta*, vol.XXIII, 1939.
______. "Esquema del psicoanálisis", vol.XXIII, 1938.
______. "Análisis terminable e interminable", vol.XXIII, 1937.
Garcia-Roza, L.A. *Acaso e repetição em psicanálise*. Rio de Janeiro, Zahar, 7ª ed., 2003.
______. *Freud e o inconsciente*; Rio de Janeiro, Zahar, 24ª ed., 2009.
Gilson, E. *Jean Duns Scot*. Paris, Vrin, 1952.
Grayeff, F. *Exposição e interpretação da filosofia teórica de Kant*. Lisboa, Edições 70, 1987.
Green, A. et al. *A pulsão de morte*. São Paulo, Escura, 1988.
Guthrie, W.K.C. *Historia de la filosofia grega*. Madri, Gredos, 1984.
Hegel, G.W. *La phenoménologie de l'esprit*. Paris, Aubier, 1983 [1941].
Heidegger, M. "La chose", in *Essais et conferences*. Paris, Gallimard, 1958.

Husserl, E. *Ideas relativas a una fenomenologia pura y una filosofia fenomenológica*. FCE, México, 1949.

Hyppolite, J. "Comentario hablado sobre la *Verneinung* de Freud", in J. Lacan. *Escritos 2*. México, Siglo XXI, 1980.

Joly, H. *Le renversement platonicien*. Paris, Vrin, 1985.

Juranville, A. *Lacan e a filosofia*. Rio de Janeiro, Zahar, 1987.

Kant, I. *A paz perpétua*. Porto Alegre, LPM, 1989.

______. *Essai pour introduire en philosophie le concept de grandeur négative*. Paris, Vrin, 1980.

______. *La religion dentro de los limites de la mera razón*. Madri, Alianza, 1986.

______. *Crítica da razão pura*. São Paulo, Abril, 1980.

Kirk, G.S. e J.E. Raven. *Os filósofos pré-socráticos*. Lisboa, Calouste Gulbenkian, 1979.

Kojeve, A. *Introduction à la lecture de Hegel*; Paris, Gallimard, 1947

Koyré, A. "Galileo and Plato", in A. Koyré. *Metaphysics and Measurement*. Londres, Chapman and Hall, 1968.

Lacan, J. Écrits, Paris, Seuil, 1966. (*Escritos*. México, Siglo XXI, 1975.)

______. "Position de l'inconscient", in Écrits. Paris, Seuil, 1966.

______. *O Seminário*, livro 1. Rio de Janeiro, Zahar, 2ª ed., 2009.

______. *O Seminário*, livro 2. Rio de Janeiro, Zahar, 2ª ed., 2010.

______. *O Seminário*, livro 3. Rio de Janeiro, Zahar, 2ª ed., 2010.

______. *Le Séminaire*, livre VII. Paris, Seuil, 1986. [Ed. bras.: *O seminário*, livro 7. Rio de Janeiro, Zahar, 2ª ed., 2008.]

______. *O Seminário*, livro 11. Rio de Janeiro, Zahar, 2ª ed., 2008.

______. *O Seminário*, livro 20. Rio de Janeiro, Zahar, 2ª ed., 1985.

______. *Le Séminaire*, livre XIII (*L'objet de la psychanalyse*). Inédito.

______. *Le Séminaire*, livre XXII (*R.S.I.*). Inédito.

______. *Radiophonie*, in *Scilicet 2/3*. Paris, Seuil, 1970.

______. *Scilicet 2/3*. Paris, Seuil, 1970.

Laercio, D. de. *Vida y doctrina de los grandes filosofos de la Antigüedad*. Buenos Aires, Claridad, 1947.

Lalande, A. *Vocabulaire technique et critique de la philosophie*. Paris, PUF, 1968.

Lucrécio. *Da natureza*. São Paulo, Abril, 1980.

Monod, J. *Le hasard et la necessite*. Paris, Seuil, 1970. [Ed. bras.: *Acaso e necessidade*. Petrópolis, Vozes, 1971.]

Morin, E. *La méthode*. Paris, Seuil, 1977.

Nasio, J.D. *A criança magnífica da psicanálise*. Rio de Janeiro, Zahar, 1988.

Nietzsche, F. *A filosofia na idade trágica dos gregos.* Lisboa, Edições 70,
Planck, M. *L'image du monde dans la physique moderne*; Genebra, Gonthier, 1963.
Platão. *The Dialogues of Plato.* Nova York, Random House, 1937.
Prigogine, I. e I. Stengers. *La nouvelle alliance.* Paris, Gallimard, 1979. [Ed. bras.: *A nova aliança.* Universidade de Brasília, 1984.]
Ricoeur, P. *Le mal.* Genebra, Labor et Fides, 1986.
Rodier, G. Études *de philosophie grecque.* Paris, Vrin, 1969.
Rosenfield, D.L. *Do mal.* Pouso Alegre, LPM, 1988.
Rosset, C. *A anti-natureza.* Rio de Janeiro, Espaço e Tempo, 1989.
______. *Logique du pire.* Paris, PUF, 1971.
Roudinesco, E. *História da psicanálise na França*, vol.2. Rio de Janeiro, Zahar, 1988.
Roustang, F. *Un destin si funeste.* Paris, Minuit, 1976.
Safouan, M. *L'echec du principe du plaisir.* Paris, Seuil, 1979.
Sartre, J.-P. *L'imaginaire.* Paris, Gallimard, 1940.
Spinoza, B. Ética. São Paulo, Abril, 1979.
Stengers, I. *D'une science à l'autre.* Paris, Seuil, 1987.
Thom, R. *Parábolas e catástrofes.* Lisboa, Dom Quixote, 1985.
Tomás de Aquino. *Suma contra los gentiles.* Madri, BAC, 1952.